studio [21]

Glossar Deutsch – Englisch
Glossary German – English

A1

Deutsch als Fremdsprache

Glossary German – English

The glossary contains the complete vocabulary from Start to Unit 12, including Stations 1–4. Numbers, names of people, cities and countrie as well as languages are not included in the list.

The numbers beside the words indicate where the words are found in the units (e.g. 3.4 means Block 3, Exercise 4).

With nouns you will always find the article in German and the plural form.
With verbs the 3rd person singular in the present is indicated and fro Lesson 9 the 3rd person singular perfect is also given.
Words that do not belong to the Certificate vocabulary are indicated in italics.

Symbols, Abbreviations and Conventions
The periods (".") and the lines ("_") under the words indicate the wor accent:
ạ = short vowel
a̲ = long vowel
Pl. (Plural) = this word exists only in the plural form
jdm. (jemandem) = sb (somebody), *dative*
jdn. (jemanden) = sb (somebody), *accusative*
etw. (etwas) = sth (something)

Start auf Deutsch

der	**Start**, die Starts	start, take-off
	auf	in
das	**Deutsch**	German
	hier	here
	lernen, er lernt	(to) learn
	Sie	you *(formal)*
	international	international
das	**Wort**, die Wörter	word
	verstehen, er versteht	(to) understand
	jemand	somebody
	begrüßen, er begrüßt	(to) greet
	sich	oneself
	und	and
	anderer, anderes, andere	another, others
	vorstellen (sich), er stellt sich vor	(to) introduce oneself
	nach	about
der	**Name**, die Namen	name
die	**Herkunft**, die Herkünfte	origin
	fragen, er fragt	(to) ask
der	**Vorname**, die Vornamen	first name
der	**Nachname**, die Nachnamen	last name
	buchstabieren, er buchstabiert	(to) spell

Deutsch sehen und hören

sehen, er sieht	(to) see
hören, er hört	(to) hear

1.1	das	**Foto**, die Fotos	photo
	der	***Ton**, die Töne*	sound
		wo	where
		sein, er ist	(to) be
		das	that
		was	what
		kennen, er kennt	(to) know
1.2a		***zusammengehören**, sie gehören zusammen*	(to) belong together
		zuordnen, er ordnet zu	(to) match
	die	**Musik**, die Musiken	music
	der	**Tourist**, die Touristen	tourist *(m)*
	die	**Touristin**, die Touristinnen	tourist *(f)*
	das	**Büro**, die Büros	office
	der	**Supermarkt**, die Supermärkte	supermarket
	das	***Parlament**, die Parlamente*	parliament
	die	**Pizza**, die Pizzas / Pizzen	pizza
	die	**Kasse**, die Kassen	checkout, till
	die	**Natur**	nature, wild
	das	**Telefon**, die Telefone	telephone
	das	**Konzert**, die Konzerte	concert
	der	**Computer**, die Computer	computer
	das	**Restaurant**, die Restaurants	restaurant
	der	***Airbus**, die Airbusse*	airbus
	der	**Euro**, die Euro(s)	euro
	die	**Oper**, die Opern	opera
	der	***Pilot**, die Piloten*	pilot *(m)*
	die	***Pilotin**, die Pilotinnen*	pilot *(f)*
1.2b		**wie**	how
		heißen, er heißt	(to) be called
		in	in
		Ihr, Ihr, Ihre	your *(formal)*

	die **Sprache**, die Sprachen	language
3	**wer**	who
	kommen, er kommt	(to) come
	aus (+ Ort)	from (+ place)
	Deutschland	Germany

Im Deutschkurs

	im	in the
	der **Deutschkurs**, die Deutschkurse	German class
1	der **Kurs**, die Kurse	class
	lesen, er liest	(to) read
	Guten Tag!	Hello!
	ich	I
	die **Frau**, die Frauen	Mrs. (woman)
	der **Deutschlehrer**, die Deutschlehrer	German teacher *(m)*
	die **Deutschlehrerin**, die Deutschlehrerinnen	German teacher *(f)*
	Hallo!	Hi
	mein, mein, meine	my
	woher	where ... from
	heißen, er heißt	(to) be called, his name is
	der **Herr**, die Herren	Mr. (man)
2	die **Kursparty**, die Kurspartys	class party
2a	**antworten**, er antwortet	(to) answer
2b	**suchen**, er sucht	(to) look for
	ein, ein, eine	a
	der **Partner**, die Partner	partner *(m)*
	die **Partnerin**, die Partnerinnen	partner *(f)*
	notieren, er notiert	(to) take notes

2.2c		**er**	he, it
2.3		**wohnen**, er wohnt	(to) reside
		jetzt	now
		auch	also, too
2.4		**oder**	or
2.4a		**ergänzen**, er ergänzt	(to) complete
2.4b		**weiterer, weiteres, weitere**	further, additional
	das	**Beispiel**, die Beispiele	example
2.5	*die*	***Personalangabe**, die Personalangaben*	piece of personal information
	die	**Person**, die Personen	person
2.6		**üben**, er übt	(to) practice, train
	der	**Dialog**, die Dialoge	dialogue
		mit	with
		verschieden	various, different

3 Das Alphabet

		der, das, die	the *(m, n, f)*
	das	**Alphabet**, die Alphabete	alphabet
3.1	*der*	***Rap**, die Raps*	rap
		***mitmachen**, er macht mit*	(to) join in
3.2	*das*	***Städtediktat**, die Städtediktate*	city dictation
		schreiben, er schreibt	(to) write
	der	***Städtename**, die Städtenamen*	city name
3.3	*die*	***Abkürzung**, die Abkürzungen*	abbreviation
	der	***Transport**, die Transporte*	(kind/s of) transportatio
	das	**Auto**, die Autos	car
	das	***TV**, die TVs*	TV
	die	***Finanzen** (Pl.)*	finances
3.5	das	**Spiel**, die Spiele	game

.6	der	**Familienname**, die Familiennamen	family name
		bei	at (bei Ihnen – where you live)
		Ihnen	you *(formal)*
.7a		**welcher, welches, welche**	which
	die	**Silbe**, die Silben	syllable
		betonen, *er betont*	(to) stress
	der	**Junge**, die Jungen	boy
	das	**Mädchen**, die Mädchen	girl
.7b		**noch einmal**	again, once again
		einmal	once
		nachsprechen, *er spricht nach*	(to) repeat (what sb says)
.7c		**Österreich**	Austria
	die	**Schweiz**	Switzerland
.8	*der*	***Favorit***, *die Favoriten*	favourite *(m)*
	die	***Favoritin***, *die Favoritinnen*	favourite *(f)*
	der	***Internettipp***, *die Internettipps*	internet tip

Internationale Wörter

	der	***Lerntipp***, *die Lerntipps*	learning tip
	der	**Text**, die Texte	text
.1	der	**Mensch**, die Menschen	person, people
.1a		**schnell**	fast, quick(ly)
		zwei	two
	die	**Information**, die Informationen	piece of information
		pro	per
		vergleichen, er vergleicht	(to) compare
	das	**Jahr**, die Jahre	year
		alt	old

die	**Familie**, die Familien	family
die	**Minute**, die Minuten	minute
	an	at
	mögen, er mag	(to) like
der	**Job**, die Jobs	job
	fliegen, er fliegt	(to) fly
	heute	today
	von	from
	dann	then
	zurück	back
der	**Student**, die Studenten	student *(m)*
die	**Studentin**, die Studentinnen	student *(f)*
die	**Universität (Uni)**, die Universitäten (Unis)	university
	studieren, er studiert	(to) study
	interkulturell	intercultural
die	**Kommunikation**, die Kommunikationen	communication
das	**Semester**, die Semester	semester
der	**Freund**, die Freunde	friend *(m)*
die	**Freundin**, die Freundinnen	friend *(f)*
	ein bisschen	a bit
	seit	since, for
	vorher	before
	sie	she, it
	für	for
der	***Elektronikingenieur**, die Elektronikingenieure*	electronic engineer *(m)*
die	***Elektronikingenieurin**, die Elektronikingenieurinnen*	electronic engineer *(f)*
die	***Spezialität**, die Spezialitäten*	speciality

	die ***Medizintechnologie**, die Medizintechnologien*	medical technology
	der **Ski**, die Skier	ski (Ski fahren = to ski)
	fahren, er fährt	(to) drive, travel
	ihr, ihr, ihre	her
	das **Hobby**, die Hobbys	hobby
	leben, er lebt	(to) live
	der **Musiker**, die Musiker	musician *(m)*
	die **Musikerin**, die Musikerinnen	musician *(f)*
	spielen, er spielt	(to) play
	die ***Violine**, die Violinen*	violin
	gehören, er gehört	(to) belong
	zu	to
	das ***Ensemble**, die Ensembles*	ensemble
	finden, er findet	(to) find
	fantastisch	fantastic
	die **Stadt**, die Städte	city
	die ***Atmosphäre**, die Atmosphären*	atmosphere
	der **Sommer**, die Sommer	summer
	die **Uhr**, die Uhren	clock
	haben, er hat	(to) have
1b	**passen**, er passt	(to) fit
2a	**auswählen**, er wählt aus	(to) choose
2b	***sortieren**, er sortiert*	(to) sort
	die **Technik**, die Techniken	technique, technology
	die **Geografie**	geography
	der **Tourismus**	tourism
3	der **Alltag**	everyday (life)
	sammeln, er sammelt	(to) collect
4	**deutsch**	German
	machen, er macht	(to) make, do

die	***Zeitungscollage**, die Zeitungscollagen*	newspaper collage
die	**Zeitung**, die Zeitungen	newspaper
die	***Collage**, die Collagen*	collage

1 Kaffee oder Tee?

der	**Kaffee**, die Kaffees	coffee
der	**Tee**, die Tees	tea
	kennenlernen, er lernt kennen	(to) meet
die	**Zahl**, die Zahlen	number
	bis	to
	etwas	something, somewhat
das	**Café**, die Cafés	cafe
	bestellen, er bestellt	(to) order
	bezahlen, er bezahlt	(to) pay
die	**Telefonnummer**, die Telefonnummern	telephone number
	nennen, er nennt	(to) cite

Im Café

der	**Orangensaft**, die Orangensäfte	orange juice
der	**Saft**, die Säfte	juice
der	**Apfelsaft**, die Apfelsäfte	apple juice
das	**Wasser**	water
der	***Cappuccino***	cappuccino
der	***Eiskaffee**, die Eiskaffees*	iced coffee
der	**Kakao**, die Kakaos	cocoa
der	**Rotwein**, die Rotweine	red wine
der	**Weißwein**, die Weißweine	white wine
die	**Milch**	milk
das	**Bier**, die Biere	beer
der	***Eistee**, die Eistees*	ice-tea
das	**Gespräch**, die Gespräche	conversation

1.1a		**worüber**	what ... about
		sprechen, er spricht	(to) talk
	die	***Leute*** *(Pl.)*	people
1.1b	die	**Entschuldigung**, die Entschuldigungen	apology (pardon me)
		noch	still
		frei	free
		ja	yes
		klar	sure
		bitte	please
		trinken, er trinkt	(to) drink
		Grüß dich!	Hello!
		dich	you *(sing.)*
		ihr	you *(plur.)*
		wir	we
		du	you *(sing.)*
		möchten, er möchte	would like
		lieber	preferably
	der	***Latte macchiato***	Latte macchiato
1.1c		**führen** (Dialoge), er führt Dialoge	(to) enact (dialogues)
1.2	das	**Getränk**, die Getränke	beverage
1.3	*das*	***Redemittel***, *die Redemittel*	useful phrase, means of expression
	die	***Begrüßung***, *die Begrüßungen*	greeting
1.4	der	**Wein**, die Weine	wine

2 Wer? Woher? Was?

2.1	**nein**	no
2.2b	**richtig**	correct, right

	ạnkreuzen, er kreuzt an	(to) mark (sth) with a cross
	viel	many, a lot
	wenig	few, not much
der	**Zụcker**	sugar
	ohne	without
	nehmen, er nimmt	(to) take
	gẹrn(e)	with pleasure
das	***Mịnimemo**, die Minimemos*	mini-memo
	verwẹnden, er verwendet	(to) use
das	**Vẹrb**, die Verben	verb
die	***Ẹndung**, die Endungen*	ending
	ẹs	it
	sie	she, it
die	***Grammạtik**, die Grammatiken*	grammar
	kontrollieren, er kontrolliert	(to) check
die	**Tabẹlle**, die Tabellen	table
der	***Wọrtakzent**, die Wortakzente*	word stress

Zahlen und zählen

	zählen, er zählt	(to) count
	laut	loud
	***wụ̈rfeln**, er würfelt*	(to) throw the dice
der	***Akzẹnt**, die Akzente*	accent / stress
	so	in this way
die	**Hạndynummer**, die Handy-nummern	cell- / mobile-phone number
	***diktieren**, er diktiert*	(to) dictate
die	**Nụmmer**, die Nummern	number
das	**Hạndy**, die Handys	cell- / mobile-phone

3.6		**wie viel**	how much, how many
		Richtige *(im Lotto) (Pl.)*	correct number
3.7		***durchstreichen****, er streicht durch*	(to) cross out
	der	***Gewinner****, die Gewinner*	winner *(m)*
	die	***Gewinnerin****, die Gewinnerinnen*	winner *(f)*
		zuerst	first
		alle	all the
3.8a		***bilden****, er bildet*	(to) form
	die	**Gruppe**, die Gruppen	group
		beginnen, er beginnt	(to) begin
	der	**Fehler**, die Fehler	mistake
		dran sein*, er ist dran*	(to) be up (one's turn)
		fertig	finished

4 Telefonnummern und Rechnungen

	die	**Rechnung**, die Rechnungen	bill, tab
4.2		**wichtig**	important
4.2a	*das*	***Telefonbuch****, die Telefonbücher*	telephone book
	das	**Internet**	internet
	die	**Polizei**	police
	die	**Feuerwehr**	fire department
	der	***Notarzt****, die Notärzte*	emergency doctor *(m)*
	die	***Notärztin****, die Notärztinnen*	emergency doctor *(f)*
4.2b	das	**Taxi**, die Taxis	taxi
	der	***Dienst (Pizza-Dienst)****, die Dienste (Pizza-Dienste)*	(delivery) service
	der	***Notdienst****, die Notdienste*	emergency service
4.3	der	**Preis**, die Preise	price
		warm	warm, hot

der	***Espresso***	espresso
der	***Milchkaffee**, die Milchkaffees*	milk coffee
die	***Sorte**, die Sorten*	sort, kind
	alkoholfrei	alcohol-free
das	**Mineralwasser**	mineral water
die	***Apfelsaftschorle (Apfelschorle)**, die Apfelsaftschorlen, (die Apfelschorlen)*	apple spritzer
	zahlen, er zahlt	(to) pay
	zusammen	together
	getrennt	seperate(ly)
	Das macht ... Euro.	That's ... euro.
	danke	thank you
	Auf Wiedersehen!	Good-bye!
das	***Recherche-Projekt**, die Recherche-Projekte*	research project
das	**Land**, die Länder	country
	man	one
	offiziell	official
das	***Zahlungsmittel**, die Zahlungsmittel*	currency, means of payment
die	**Europäische Union (EU)**	European Union
die	***Eurozone***	Euro-zone
	über	over
die	***Million**, Millionen*	million
der	**Schein (Euroschein)**, die Scheine (Euroscheine)	banknote
	gleich	same
die	**Münze**, die Münzen	coin
	tragen, er trägt	(to) carry
	national	national
das	**Symbol**, die Symbole	symbol

4.6	*das*	***Quiz***	quiz
	die	**Euromünze**, Euromünzen	euro coin

Ü Übungen

	die	**Übung**, die Übungen	exercise
Ü1	*das*	***Treffen**, die Treffen*	meeting
Ü1a		**bringen**, er bringt	(to) bring
	die	**Reihenfolge**, die Reihenfolgen	order
Ü2		***zusammenpassen**, sie passen zusammen*	(to) fit together
		***verbinden**, er verbindet*	(to) connect
Ü3b		**nicht**	not
		kalt	cold
		heiß	hot
Ü4	die	**Frage**, die Fragen	question
	die	**Antwort**, die Antworten	answer
	der	**Tag**, die Tage	day
Ü5		**ganzer, ganzes, ganze**	whole
	der	**Satz**, die Sätze	sentence
Ü6b	die	**Rolle**, die Rollen	role
Ü7		***flüssig***	fluidly
	das	**Eis**	ice
Ü9	die	**SMS**	text message
	der	***Englischkurs**, die Englischkurse*	English course / class
	der	**Lehrer**, die Lehrer	teacher *(m)*
	die	**Lehrerin**, die Lehrerinnen	teacher *(f)*
		nett	nice
		morgen	tomorrow
Ü10	*der*	***Milchshake***	milkshake
Ü11		***nichtalkoholisch***	non-alcoholic

	groß	large
das	***Tafelwasser**, die Tafelwasser*	table water
	Spezi	cola and lemonade mix
der	***Bananensaft**, die Bananensäfte*	banana juice
der	***Kirschsaft**, die Kirschsäfte*	cherry juice
der	**Tomatensaft**, die Tomatensäfte	tomato juice
der	**Tisch**, die Tische	table
12 der	**Bahnhof**, die Bahnhöfe	train station
der	**Zug**, die Züge	train
14 *die*	***Telefonzentrale**, die Telefonzentralen*	switchboard
der	**Empfang**, die Empfänge	reception
der	**Apparat (am Apparat)**, die Apparate	telephone (on the line)
die	***Marketingabteilung**, die Marketingabteilungen*	marketing department
der	**Moment**, die Momente	moment
die	***Durchwahl**, die Durchwahlen*	extension (number)
	Dankeschön!	Thank you!
	brauchen, er braucht	(to) need
die	**Vorwahl**, die Vorwahlen	area code
	Guten Morgen!	Good morning!
das	***Serviceteam**, die Serviceteams*	service team
19 *das*	***Kaffeetrinken***	drinking coffee (getting together for coffee)
die	**Tradition**, die Traditionen	tradition
der	***Mokka**, die Mokkas*	mocha
	populär	popular
	lang	long
die	***Kaffeehaustradition**, die Kaffeehaustraditionen*	coffeehouse tradition

die	***Kaffeevariation**, die Kaffeevariationen*	coffee variation, different way of drinking coffee
	***in sein**, das ist in*	(to) be in, that is in
der	***Top-Favorit**, die Top-Favoriten*	top-favourite
die	***Café-Kette**, die Café-Ketten*	cafe chain
	ideal	ideal
der	**Kontakt**, die Kontakte	contact

Fit für Einheit 2? Testen Sie sich!

	fit	fit
	testen (sich), er testet sich	(to) test (oneself)
	handeln, er handelt	(to) deal with
das	***Wortfeld**, die Wortfelder*	word field
die	**Aussprache**, die Aussprachen	pronunciation

	***verständigen (sich)**, er verständigt sich*	(to) make oneself understood
	Fragen stellen, er stellt Fragen	(to) ask a question
	stellen, er stellt	(to) put
	bitten (um), er bittet (um)	(to) ask (for)
die	**Wiederholung**, Wiederholungen	repetition
das	**Wörterbuch**, die Wörterbücher	dictionary
	arbeiten, er arbeitet	(to) work
die	***Strategie**, die Strategien*	strategy
der	**Wortschatz**, die Wortschätze	vocabulary
	anwenden, er wendet an	(to) use

Wörter und Fragen

die	**Brille**, die Brillen	pair of glasses
die	**Lampe**, die Lampen	lamp
der	**Kuli**, die Kulis	ball-point pen
der	***Radiergummi**, die Radiergummis*	eraser
der	**Bleistift**, die Bleistifte	pencil
der	***Füller**, die Füller*	fountain-pen
das	**Heft**, die Hefte	exercise book
	können, er kann	can, (to) be able
	na klar	of course
	wiederholen, er wiederholt	(to) repeat
	Keine Ahnung!	no idea
	kein, kein, keine	no, not any

		Deutsch (auf Deutsch)	German (in German)
1.2		**Wie bitte?**	What was that?
		anschreiben, *er schreibt an*	(to) write (sth) down
1.3	der	**Gegenstand**, die Gegenstände	object
	der	**Kursraum**, die Kursräume	classroom
1.3a	die	**Tafel**, die Tafeln	blackboard
	das	**Papier**, die Papiere	paper
	der	**Stuhl**, die Stühle	chair
	das	**Buch**, die Bücher	book
	die	**Tasche**, die Taschen	pocket, bag
	die	***Landkarte***, *die Landkarten*	map
	das	***Whiteboard***	whiteboard
	der	***Becher***, *die Becher*	glass
	das	**Brötchen**, die Brötchen	bun, roll
1.3b	die	**Pause**, die Pausen	break
1.4		**erkennen**, er erkennt	(to) recognize

2 Mit Wörterbüchern arbeiten

2.1	der	**Artikel**, die Artikel	article
	die	**Tür**, die Türen	door
	das	**Haus**, die Häuser	house, building
	das	***Maskulinum***	masculine
	das	***Neutrum***	neutral
	das	***Femininum***	feminine
2.2	die	**Wörterliste**, die Wörterlisten	word list
	die	**Liste**, die Listen	list
	das	***Nomen***, *die Nomen*	noun
	die	**Seite**, die Seiten	page
		hinten	at the back, behind, back

.3		***ausprobieren**, er probiert aus*	(to) try
	der	**Löwe**, die Löwen	lion
	die	**Geschichte**, die Geschichten	story, history
		***ausdenken (sich etw.)**, er denkt sich etw. aus*	(to) think (sth) up
	der	**Film**, die Filme	film
	der	**Kopf**, die Köpfe	head
.4	*der*	***Plural***	plural
.4a	die	**Regel**, die Regeln	rule
		bestimmt	definite(ly)
		immer	always
.4b	*der*	***Singular***	singular
		helfen, er hilft	(to) help
.5	*der*	***Umlaut**, die Umlaute*	umlaut (grammatical), vowel change
.5a	der	**Bruder**, die Brüder	brother
.6	*die*	***Pluralform**, die Pluralformen*	plural form

Ist das ein …? Nein, das ist kein …

.1		***unbestimmt***	indefinite
		ansehen, er sieht an	(to) look at (consider)
.2	der	**Mann**, die Männer	man
.4a	der	**Hund**, die Hunde	dog
.4b		**mehr**	more
	das	**Verbot**, die Verbote	prohibition
.4c	*der*	***iPod***	I pod
	das	**Fenster**, die Fenster	window
	das	**Fahrrad**, die Fahrräder	bicycle
	das	**Rad**, die Räder	wheel
	der	**Fußball**, die Fußbälle	football, soccer ball

	das	**Motorrad**, die Motorräder	motorcycle
	der	***Tennisball**, die Tennisbälle*	tennis ball
3.5		***systematisch***	systematic(ally)
	die	***Verneinung**, die Verneinungen*	negation
3.6	die	**Karte**, die Karten	card
		ziehen, er zieht	(to) draw (a card)
		zeichnen, er zeichnet	(to) draw (a picture)
		raten, er rät	(to) guess
	die	**Katze**, die Katzen	cat
		***stimmen**, das stimmt*	(to) be right, that's right

4 Menschen, Kurse, Sprachen

4.1		**allein**	alone
	das	**Kind**, die Kinder	child
		gehen (+ Präposition), er geht (+ Präposition)	(to) go (+ preposition)
		sagen, er sagt	(to) say
	die	**Arbeit**, die Arbeiten	work, job
	der	**Spaß**, die Späße	fun, pleasure
		verheiratet	married
	die	**Schule**, die Schulen	school
		unser, **unser**, **unsere**	our
		neu	new
	die	**Heimat**, die Heimaten	home country
	die	**Biologie**	Biology
	die	**Chemie**	Chemistry
	der	**Sport**	sports
	die	***Gitarre**, die Gitarren*	guitar
		nach (+ Land)	to (+ country)
		lieben, er liebt	(to) love

2a		**geben (es gibt)**	(to) give (there is)
		mehrere	various, several, a number of
	die	**Möglichkeit**, die Möglichkeiten	possibility
	die	***CD**, die CDs*	CD
	das	**Radio**, die Radios	radio
	das	***Magazin**, die Magazine*	magazine
	die	***Biografie**, die Biografien*	biography
	die	***Arbeitsanweisung**, die Arbeitsanweisungen*	task instruction
	der	***Buchstabe**, die Buchstaben*	letter (of the alphabet)
3	die	**Bitte**, die Bitten	request
		beide	both
	der	**Kursteilnehmer**, die Kursteilnehmer	course participant (*m*)
	die	**Kursteilnehmerin**, die Kursteilnehmerinnen	course participant (*f*)
	der	**Kursleiter**, die Kursleiter	course leader, teacher (*m*)
	die	**Kursleiterin**, die Kursleiterinnen	course leader, teacher (*f*)
		erklären, er erklärt	(to) explain
		langsam	slow(ly)
		***ordnen**, er ordnet*	(to) arrange
	die	**Hausaufgabe**, die Hausaufgaben	homework
		zu	too
		spät	late

Ü Übungen

Ü2	*das*	***Kursraum-Rätsel**, die Kursraum-Rätsel*	classroom puzzle
Ü3		***rund um***	around, dealing with
	der	***Beamer**, die Beamer*	BMW, Beamer, projector
Ü4	*die*	***Wortreihe**, die Wortreihen*	word sequence
Ü4a	das	**Kursbuch**, die Kursbücher	course book
Ü5	*das*	***Wortpaar**, die Wortpaare*	word pair
Ü5a	der	**Stift**, die Stifte	pencil, pen
		essen, er isst	(to) eat
Ü9	*die*	***Wortkarte**, die Wortkarten*	word card
	die	***Vorderseite**, die Vorderseiten*	front
	die	***Rückseite**, die Rückseiten*	back
Ü10	*der*	***Elternabend**, die Elternabende*	parents evening
Ü13	der	**Rucksack**, die Rucksäcke	backpack
Ü15	*der*	***Infinitiv**, die Infinitive*	infinitive
		markieren, er markiert	(to) mark
Ü16a		**erzählen (über sich)**, er erzählt über sich	(to) tell (about oneself)
Ü16b		**anders**	different
Ü19	*der*	***Formel I-Rennfahrer**, die Formel I-Rennfahrer*	formula-1 racer *(m)*
	die	***Formel I-Rennfahrerin**, die Formel I-Rennfahrerinnen*	formula-1 racer *(f)*
	das	***Mountainbiking***	mountain-biking
	das	***Snowboard**, die Snowboards*	snowboard
	die	***Fitness***	fitness
		aber	but
	die	**Zeit**, die Zeiten	time
	der	**Sänger**, die Sänger	singer *(m)*
	die	**Sängerin**, die Sängerinnen	singer *(f)*

	der ***Musical-Star***	star of (a) musical
	der ***Fußballspieler**, die Fußballspieler*	soccer / football player (*m*)
	die ***Fußballspielerin**, die Fußballspielerinnen*	soccer / football player (*f*)
	die ***Nationalmannschaft**, die Nationalmannschaften*	national team
	das **Tor**, die Tore	goal
	das **Leben**, die Leben	life
	der ***Flüchtling**, die Flüchtlinge*	refugee
	der ***Weltmeister**, die Weltmeister*	world champion (*m*)
	die ***Weltmeisterin**, die Weltmeisterinnen*	world champion (*f*)
	der **Beruf**, die Berufe	occupation, profession
20a	**nur**	only
	die **Schwester**, die Schwestern	sister
	der **Abend (heute Abend)**, die Abende	evening (this evening)
20b	die **Form**, die Formen	form

3 Städte – Länder – Sprachen

die	**Sehenswürdigkeit**, die Sehenswürdigkeiten	point of interest
	geografisch	geographic
die	*Lage, die Lagen*	situation, location
	angeben, er gibt an	(to) specify

1 Sehenswürdigkeiten in Europa

	der	**Park**, die Parks	park
	das	**Museum**, die Museen	museum
	das	**Theater**, die Theater	theatre
	das	**Dorf**, die Dörfer	village
		schief	crooked, leaning
	der	**Turm**, die Türme	tower
	das	**Tor**, die Tore	gate
		rot	red
	der	**Platz**, die Plätze	square
1.1	*die*	***Bildunterschrift**, Bildunterschriften*	caption
1.4	*der*	***Ländername**, die Ländernamen*	name of (a) country
	der	***Satzakzent**, die Satzakzente*	stress in (a) sentence
1.4a		***In welchem Land ist das?***	Which country is that in
1.5		**zeigen**, er zeigt	(to) show
		denn	then
		wissen, er weiß	(to) know

Menschen, Städte, Sprachen

a		**gehen (Wie geht's?)**	(to) go (How are you?)
		gut	good, fine
		doch	but
		schon	already
		mal	once
		ach	oh!
		genau	exactly
b		***Ach so!***	Ah, then!
	die	***Melodie**, die Melodien*	melody
a	der	**Unterschied**, die Unterschiede	difference
		liegen, er liegt	(to) be (situated)
	der	**Südosten**	South-east
	der	**Norden**	North
	der	**Süden**	South
	der	**Westen**	West
	der	**Osten**	East
		nördlich	to the north (of)
		südlich	to the south (of)
		westlich	to the west (of)
		östlich	to the east (of)
		nordwestlich	to the north-west (of)
		nordöstlich	to the north-east (of)
		südwestlich	to the south-west (of)
		südöstlich	to the south-east (of)
	das	***Städteraten***	guessing the city
	die	**Nähe**	near

3 Warst du schon in ...? Fragen und Antworten

3.1	*das*	***Präteritum***	preterite, simple past
3.2	*die*	***W-Frage**, die W-Fragen*	W-question
	die	***Satzfrage**, die Satzfragen*	yes-no question
3.2b	*die*	***Position**, die Positionen*	position
3.3	*das*	***Personenraten***	guessing who
3.4	die	**Hauptstadt**, die Hauptstädte	capital city

4 Die Lindenstraße – eine deutsche TV-Serie

	die	***TV-Serie**, die TV-Serien*	TV series
4.1	*die*	***Hypothese**, die Hypothesen*	hypothesis
		vor	before
	die	**Überschrift**, die Überschriften	headline
		worum	what (is ...) about
	die	**Kultur**, die Kulturen	culture
	die	***Film-Familie**, die Film-Familien*	film family
4.2		**prüfen**, er prüft	(to) check, test, verify
	der	***Zeitungsartikel**, die Zeitungsartikel*	newspaper article
	die	**Serie**, die Serien	series
	das	**Paar**, die Paare	couple
	der	***Single**, die Singles*	single
	die	***Wohngemeinschaft**, die Wohngemeinschaften*	communal-living arrangement
	der	**Sohn**, die Söhne	son
		kurz	short
4.3b		**berichten**, er berichtet	(to) report
	der	**Wohnort**, die Wohnorte	place of residence

Über Länder und Sprachen sprechen

der	***Campus***	campus
das	**Interview**, die Interviews	interview
das	**Studium**	studies
die	**Grafik**, die Grafiken	graphic
das	**Prozent**, die Prozente	percent
	wechseln, er wechselt	(to) change
die	**Region**, die Regionen	region
die	***Konversation**, die Konversationen*	conversation
	etwas (= ein bisschen)	a bit
	uns	us
die	***Mehrsprachigkeit***	multilingualism

Übungen

die	***Präposition**, die Präpositionen*	preposition
die	***Dialoggrafik**, die Dialoggrafiken*	dialogue graphic
die	***Orientierung***	orientation
	vorne	up front, in front
der	***Urlaubsblog**, die Urlaubsblogs*	vacation blog
	Liebe, Lieber	Dear
	gestern	yesterday
die	***Moschee**, die Moscheen*	mosque
der	***Basar**, die Basare*	bazaar
	sehr	very
	interessant	interesting
	paar (ein paar)	pair, couple (of)
	super	super
der	**Gruß**, die Grüße	greeting

Ü11	*das*	***Präsens***	present
		lecker	delicious
		genial	ingenious, brilliant
		wann	when
		wieder	again
Ü12	der	**Hafen**, die Häfen	port
Ü14		**korrigieren**, er korrigiert	(to) correct
	die	**Eltern** (Pl.)	parents
	der	***Regisseur**, die Regisseure*	director *(m)*
	die	***Regisseurin**, die Regisseurinnen*	director *(f)*
		manchmal	sometimes
	der	***DJ**, die DJs*	DJ
	die	***Filmmusik**, die Filmmusiken*	film music
Ü15	*das*	***Familienalbum**, die Familienalben*	family album
Ü17	*die*	***Studentenzeitschrift**, die Studentenzeitschriften*	student newspaper / magazine
Ü17a	der	**Professor (Prof.)**, die Professoren	professor
Ü17b		**beantworten**, er beantwortet	(to) answer
Ü18	die	**Welt**	world
Ü19	*das*	***Nachbarland**, die Nachbarländer*	neighbouring country
	die	***Nachbarsprache**, die Nachbarsprachen*	neighbouring language
	der	**Nachbar**, die Nachbarn	neighbour *(m)*
	die	**Nachbarin**, die Nachbarinnen	neighbour *(f)*
	das	**Zentrum**, die Zentren	centre
		dort	there
	der	**Nordwesten**	North-west
	die	***Nationalsprache**, die Nationalsprachen*	national language

Fit für Einheit 4? Testen Sie sich!

die ***Hịmmelsrichtung****, die Himmelsrichtungen* point of the compass

Station 1

1 Berufsbilder

	das	***Berufsbild**, die Berufsbilder*	job description
1.1a	das	**Material**, die Materialien	material
	das	***Lehrbuch**, die Lehrbücher*	textbook
	die	***Tätigkeit**, die Tätigkeiten*	activity
	der	**Ort**, die Orte	place
1.1b	*die*	***Germanistik***	German (studies)
	die	***Anglistik***	English (studies)
	das	***Sprachinstitut**, die Sprachinstitute*	language institute (school)
	der	**Kollege**, die Kollegen	colleague *(m)*
	die	**Kollegin**, die Kolleginnen	colleague *(f)*
	die	**Stunde**, die Stunden	hour, class
	der	***Unterricht***	teaching
		abends	evenings, in the evening
		fest	fixed, stable
		fremd	foreign
	das	**Video**, die Videos	video
		oft	often
	das	**Projekt**, die Projekte	project
		besuchen, er besucht	(to) visit, go to
	das	***Kaufhaus**, die Kaufhäuser*	department store
1.3		***Deutsch als Fremdsprache***	German as a foreign language
	die	**Fremdsprache**, die Fremdsprachen	foreign language
	die	**Woche**, die Wochen	week
	die	**Bibliothek**, die Bibliotheken	library
	die	***E-Mail**, die E-Mails*	email

	ruhig	calm
das	**Seminar**, die Seminare	seminar
der	**Anfang (am Anfang)**, die Anfänge	beginning, start
	alles	all, everything
	finden, er findet	(to) find
das	***Wörternetz**, die Wörternetze*	word network
der	**Deutschunterricht**	German class

Themen und Texte

das	**Thema**, die Themen	theme, subject
	meistens	mostly
die	**Hand**, die Hände	hand
	küssen, er küsst	(to) kiss
der/die	**Bekannte**, die Bekannten	acquaintance
	zweimal	twice
	dreimal	thrice, three times
	formal	formal
	neutral	neutral
die	***Variante**, die Varianten*	variant
die	**Firma**, die Firmen	firm, company
die	***Verabschiedung**, die Verabschiedungen*	leave-taking, farewell, good-bye
	regional	regional
	Guten Abend!	Good evening!
	ab (+ Uhrzeit)	from (= time)
	Tschüss!	Bye-bye!
	Servus!	Cheerio!
	Grüezi!	Hi!

		Auf Wiederluege!	Good-bye!
		Norddeutschland	Northern Germany
		Moin, Moin!	Hi!
		Süddeutschland	Southern Germany
		grüßen, er grüßt	(to) greet
		Grüß Gott!	Hello!

3 Wörter – Spiele – Training

	das	**Training**, die Trainings	drill
3.1	*der*	***Grammatikbegriff**, die Grammatikbegriffe*	grammatical term
		dieser, dieses, diese	this
	der	***Begriff**, die Begriffe*	term, expression
	die	***Einheit**, die Einheiten*	unit
	das	***Adjektiv**, die Adjektive*	adjective
	das	***Fragewort**, die Fragewörter*	interrogative word
	das	***W-Wort**, die W-Wörter*	interrogative word starting with "W"
	das	***Personalpronomen**, die Personalpronomen*	personal pronoun
3.2	*der*	***Grammatiktest**, die Grammatiktests*	grammar test
3.3	das	**Ding**, die Dinge	thing
3.4	*das*	***Radioprogramm**, die Radioprogramme*	radio program
		schön	beautiful, pretty, good
	das	***Küchenduell**, die Küchenduelle*	kitchen duel
	das	***Stadtgespräch**, die Stadtgespräche*	talk of the town
	das	**Märchen**, die Märchen	fairy tale

das	***Hörspiel**, die Hörspiele*	radio drama
die	**Dokumentation**, die Dokumentationen	documentary
	österreichisch	Austrian
die	***Talkshow**, die Talkshows*	talk show

Filmstation

	die	***Filmstation**, die Filmstationen*	TV station that show films
1		**jung**	young
1a	die	**Szene**, die Szenen	scene
	das	**Alter**, die Alter	age
1b	der	**Laden**, die Läden	shop
	das	***Radfahren***	cycling
	das	***Fitness-Studio**, die Fitness-Studios*	fitness studio
	die	**Philosophie**, die Philosophien	philosophy
	das	**Wochenende**, die Wochenenden	weekend
		lange	long
	das	**Praktikum**, die Praktika	practicum, internship
	der	***Verlag**, die Verlage*	publishing house
2a		***Freut mich!***	I'm glad!
	das	***Judo***	judo
		vielleicht	maybe
	die	**Ecke (um die Ecke)**, die Ecken	corner, (around the corner)
		viermal	four times

5 Magazin

das	***Empfindungswort**, die Empfindungswörter*	interjection
der	**Deutsche**, die Deutschen	German *(m)*
die	**Deutsche**, die Deutschen	German *(f)*
die	***Konjugation**, die Konjugationen*	conjugation

4 Menschen und Häuser

die	**Wohnung**, die Wohnungen	apartment, flat
	beschreiben, er beschreibt	(to) describe
	***kommentieren**, er kommentiert*	(to) comment (on)
die	**Adresse**, die Adressen	address
die	**Möbel** (Pl.)	furniture
das	***System**, die Systeme*	system

1 Wohnen in Deutschland, Österreich und der Schweiz

das	***Hochhaus**, die Hochhäuser*	high-rise
das	***Fachwerkhaus**, die Fachwerkhäuser*	half-timber house
der	***Altbau**, die Altbauten*	old building
	auf dem Land	in the country
der	**Garten**, die Gärten	garden
die	**Garage**, die Garagen	garage
der	**Balkon**, die Balkone	balcony
die	**Terrasse**, die Terrassen	terrace
das	**Zimmer**, die Zimmer	room
das	***Studentenwohnheim**, die Studentenwohnheime*	student residence
das	***Bauernhaus**, die Bauernhäuser*	farmhouse
die	***Altbauwohnung**, die Altbauwohnungen*	apartment / flat in an older building
das	***Reihenhaus**, die Reihenhäuser*	row house
das	***Einfamilienhaus**, die Einfamilienhäuser*	single family house
1	**sein, sein, seine**	his

		ziemlich	quite, rather, fairly
	die	**Straße**, die Straßen	street, road
		qm (= Quadratmeter)	square meter
		klein	small
	das	***Wohnheim**, die Wohnheime*	residence, dorm
		gemütlich	cozy
1.3	der	**Bauernhof**, die Bauernhöfe	farm
		modern	modern

2 Wohnungen beschreiben

2.1a	das	**Wohnzimmer**, die Wohnzimmer	living room
		schlafen, er schläft	(to) sleep
		baden, er badet	(to) bathe
		kochen, er kocht	(to) cook
	der	**Flur**, die Flure	corridor, hallway
	das	**Bad**, die Bäder	bath
	die	**Küche**, die Küchen	kitchen
2.1b	*der*	***Makler**, die Makler*	real-estate agent *(m)*
	die	***Maklerin**, die Maklerinnen*	real-estate agent *(f)*
	das	**Kinderzimmer**, die Kinderzimmer	nursery, child(ren)'s room
		dunkel	dark
	der	***Keller**, die Keller*	cellar, basement
	der	**Schlüssel**, die Schlüssel	key
2.1c	das	**Badezimmer**, die Badezimmer	bathroom
	das	**Schlafzimmer**, die Schlafzimmer	bedroom
	das	**Arbeitszimmer**, die Arbeitszimmer	workroom, study

2a	die	**Zeichnung**, die Zeichnungen	drawing
		links	on / to the left
		rechts	on / to the right
2b		***Was für ein Chaos!***	What a chaos!
	das	***Chaos***	chaos
		wirklich	really
		hell	light, bright
	das	**Bücherregal**, die Bücherregale	bookshelf
		kosten, es kostet	(to) cost
		billig	cheap, inexpensive
3	*der*	***Akkusativ**, die Akkusative*	accusative case
3a	*der*	***Nominativ**, die Nominative*	nominative case
3b	der	**Raum**, die Räume	room, space

Meine Wohnung – deine Wohnung

		dein, dein, deine	your *(sing.)*
1a	*die*	***Vase**, die Vasen*	vase
1b		**achten (auf)**, er achtet auf	(to) pay attention to, watch out for
	die	***Intonation**, die Intonationen*	intonation
1c	*der*	***Kontrastakzent**, die Kontrastakzente*	contrasting stress
2		**wem**	to whom
		Vielen Dank!	Thank you very much!
3	*der*	***Possessivartikel**, die Possessivartikel*	possessive article
4	*die*	***Traumwohnung**, die Traumwohnungen*	dream flat / apartment
		teuer	expensive, dear
		euer, euer, eure	your

	die	**Toilette**, die Toiletten	toilet
3.5		***weitergeben**, er gibt weiter*	(to) pass on, relay
	der	***Traum**, die Träume*	dream
		daneben	beside that
		chaotisch	chaotic

4 Zimmer und Möbel

4.1	der	**Küchenschrank**, die Küchenschränke	kitchen cupboard
	der	**Sessel**, die Sessel	armchair
	der	**Schreibtisch**, die Schreibtische	desk
	der	**Schrank**, die Schränke	cupboard
	die	**Stehlampe**, die Stehlampen	floor-lamp
	das	**Bett**, die Betten	bed
	der	**Teppich**, die Teppiche	carpet
	der	**Spiegel**, die Spiegel	mirror
	das	**Sofa**, die Sofas	sofa
4.2	*das*	***Kompositum**, die Komposita*	compound word
4.2a	der	**Küchentisch**, die Küchentische	kitchen table
	die	**Schreibtischlampe**, die Schreibtischlampen	desk-lamp
4.2b		**zu Hause**	at home
	der	**Esstisch**, die Esstische	dining table
	die	**Küchenlampe**, die Küchenlampen	kitchen lamp
	der	**Schreibtischstuhl**, die Schreibtischstühle	desk chair
4.2c	das	**Regal**, die Regale	shelf
	das	***Grundwort**, die Grundwörter*	root word
		***bestimmen**, er bestimmt*	(to) determine, decide

der	**Bürostuhl**, die Bürostühle	office chair
die	***Betonung**, die Betonungen*	stress, emphasis

Wörter lernen mit System

das	***Waschbecken**, die Waschbecken*	sink
der	**Kühlschrank**, die Kühlschränke	refrigerator
der	**Herd**, die Herde	stove, cooker
die	***Spüle**, die Spülen*	kitchen sink
der	**Zettel**, die Zettel	slip of paper, note
der	**Fernseher**, die Fernseher	television
der	***Beispielsatz**, die Beispielsätze*	example sentence
die	***Lernkartei**, die Lernkarteien*	learning card file
	z. B. (= zum Beispiel)	e.g. (= for example)
der	**Vokal**, die Vokale	vowel
	sonst	otherwise

Der Umzug

der	***Umzug**, die Umzüge*	move
das	***Umzugschaos***	chaos of moving
der	***Umzugskarton**, die Umzugskartons*	moving carton
	packen, er packt	(to) pack
die	**DVD**, die DVDs	DVD
das	**Glück**	luck
	***funktionieren**, es funktioniert*	(to) work, function
das	**Problem**, die Probleme	problem
die	**Waschmaschine**, die Waschmaschinen	washer

	die **Postleitzahl**, die Postleitzahlen	postal code
	zentral	central
	der **Stock**	storey, floor
	circa (ca.)	approximately, around
	breit	wide
	einfach	simple, single
	stehen, er steht	(to) stand
	leider	unfortunately
	arm	poor
	der **Rücken**, die Rücken	back
	schwer	heavy, difficult
	die **Hilfe**, die Hilfen	help
	Viele Grüße!	Greetings!
6.1b	die **Rückenschmerzen**	back pain
	bekommen, er bekommt	(to) receive, get

7 Wohnen interkulturell

7.1	*die* ***Wohnform****, die Wohnformen*	form of dwelling
	das ***Hausboot****, die Hausboote*	houseboat
	cool	cool
	der **Schuh**, die Schuhe	shoe

Ü Übungen

Ü1	*das* ***Geräusche-Quiz***	sound-quiz
	das ***Geräusch****, die Geräusche*	sound, noise
Ü2b	**eigener, eigenes, eigene**	one's own
Ü3a	die **Aussage**, die Aussagen	statement

	die	***Wohnungsbesichtigung**, die Wohnungsbesichtigungen*	flat / apartment viewing
		endlich	finally
		oben	upstairs
		***streichen**, er streicht*	(to) cross out
		ganz	completely, quite
	die	**Einladung**, die Einladungen	invitation
		***(he)reinkommen**, er kommt (he)rein*	(to) come in
10	das	**Esszimmer**, die Esszimmer	dining-room
11	das	**Gegenteil**, die Gegenteile	opposite
		leise	quiet
16a	der	**Wohnzimmerschrank**, die Wohnzimmerschränke	living-room cupboard
	der	**Küchenstuhl**, die Küchenstühle	kitchen chair
17a	die	**Nacht**, die Nächte	night
	die	**Tochter**, die Töchter	daughter
18		**lösen**, er löst	(to) solve
	das	***Rätsel**, die Rätsel*	puzzle
19		**nach**	after
19a		**da sein**	(to) be there / present
		***fehlen**, er fehlt*	(to) be missing
20	*der*	***Mitbewohner**, die Mitbewohner*	room-mate *(m)*
	die	***Mitbewohnerin**, die Mitbewohnerinnen*	room-mate *(f)*
		***zusammenleben**, sie leben zusammen*	(to) live together
		extra	extra
	die	***Wohnküche**, die Wohnküchen*	large kitchen

Fit für Einheit 5? Testen Sie sich!

die	***Graduierung***	grading
der	***Konsonant****, die Konsonanten*	consonant

5 Termine

der	**Termin**, die Termine	appointment, meeting
die	***Zeitangabe**, die Zeitangaben*	indication of time
die	**Uhrzeit**, die Uhrzeiten	time of day
der	**Wochentag**, die Wochentage	day of the week
	verabreden (sich), er verabredet sich	(to) make an appointment
die	**Verspätung**, die Verspätungen	delay, lateness
	entschuldigen (sich), er entschuldigt sich	(to) apologize

Uhrzeiten

der	**Kalender**, die Kalender	calendar
der	**Monat**, die Monate	month
der	**Wecker**, die Wecker	alarm-clock
der	**Montag**, die Montage	Monday
der	**Dienstag**, die Dienstage	Tuesday
der	**Mittwoch**, die Mittwoche	Wednesday
der	**Donnerstag**, die Donnerstage	Thursday
der	**Freitag**, die Freitage	Friday
der	**Samstag**, die Samstage	Saturday
der	**Sonntag**, die Sonntage	Sunday
der	**Punkt**, die Punkte	point
das	***Terminproblem**, die Terminprobleme*	difficulty with an appointment
das	***Autohaus**, die Autohäuser*	car dealership
	um (+ Uhrzeit)	at
	***leidtun**, es tut (jdm.) leid*	(to) be sorry

	die	**Panne**, die Pannen	breakdown
		Bis später!	Until later!
	die	**Fahrt**, die Fahrten	drive, ride

2 Wochentage und Zeiten

2.2		***formell***	formal
		informell	informal
2.2a	das	**Frühstück**, die Frühstücke	breakfast
	das	**Mittagessen**, die Mittagessen	lunch
	das	**Abendessen**, die Abendessen	supper
		halb	half
	das	**Viertel**, die Viertel	quarter
2.3	der	**Tagesablauf**, die Tagesabläufe	daily routine
		zu zweit	as a pair
		aufstehen, er steht auf	(to) get up
		frühstücken, er frühstückt	(to) have breakfast
		ausgehen, er geht aus	(to) go out
	die	***Mittagspause**, die Mittagspausen*	lunch-break
		zwischen	between
2.4	der	**Urlaub**, die Urlaube	vacation
2.5a	*das*	***Echo**, die Echos*	echo
		morgens	in the morning
2.6	das	**Ende**, die Enden	end
2.7	*das*	***Bürgerbüro**, die Bürgerbüros*	citizen's services office
	die	***Öffnungszeit**, die Öffnungszeiten*	opening hours
	die	**Bank**, die Banken	bank
		öffnen, er öffnet	(to) open
		schließen, er schließt	(to) close
	das	**Geschäft**, die Geschäfte	shop, business

die	**Tankstelle**, die Tankstellen	petrol / gas station
	einkaufen, er kauft ein	(to) shop
das	**Essen**, die Essen	food
der	**Arzt**, die Ärzte	doctor
der	**Mittwochnachmittag**, die Mittwochnachmittage	Wednesday afternoon
die	***Essenszeit**, die Essenszeiten*	mealtime

Termine und Verabredungen

die	**Verabredung**, die Verabredungen	appointment
die	***Tageszeit**, die Tageszeiten*	time of day
der	**Morgen**, die Morgen	morning
der	**Vormittag**, die Vormittage	forenoon
der	**Mittag**, die Mittage	noon
der	**Nachmittag**, die Nachmittage	afternoon
die	**Praxis**, die Praxen	practice, surgery
der	**Doktor (Dr.)**, die Doktoren	doctor
	nächster, nächstes, nächste	next, nearest
	gehen (geht es ...?)	(to) work (Does ... work?)
	also	then
der	**Montagnachmittag**, die Montagnachmittage	Monday afternoon
	Auf Wiederhören!	Good-bye! *(on the phone)*
	tun, er tut	(to) do
der	**Stau**, die Staus	traffic jam
die	**Autobahn**, die Autobahnen	expressway
der	**Anruf**, die Anrufe	phone call
der	**Montagmorgen**, die Montagmorgen	Monday morning

	der	**Dienstagvormittag**, die Dienstagvormittage	Tuesday morning
	der	**Mittwochmittag**, die Mittwochmittage	Wednesday noon
	der	**Donnerstagnachmittag**, die Donnerstagnachmittage	Thursday afternoon
	der	**Freitagabend**, die Freitagabende	Friday evening
3.4		**ab** (+ Ort)	from (+ place)
3.5	die	**Freizeit**	leisure time
		schwimmen, er schwimmt	(to) swim
	das	**Schwimmbad**, die Schwimmbäder	swimming pool
	das	***Oktoberfest**, die Oktoberfeste*	festival in October
	das	**Buffet**, die Buffets	buffet
	der	**Samstagabend**, die Samstagabende	Sunday evening
3.6		**anrufen**, er ruft an	(to) call (up)
3.6a	das	**Kino**, die Kinos	cinema, movie theatre
		anfangen, er fängt an	(to) begin
		treffen (sich), er trifft sich	(to) meet
3.6b	die	**Disko**, die Diskos	disco
	der	**Zoo**, die Zoos	zoo
	das	**Stadion**, die Stadien	stadium

4 Keine Zeit!

4.1		**warten**, er wartet	(to) wait
	der	**Zahnarzt**, die Zahnärzte	dentist
4.3		***trennbar***	separable
4.4		**absagen**, er sagt ab	(to) cancel

4a		***mitkommen**, er kommt mit*	(to) come with
5b	der	**Dienstagabend**, die Dienstagabende	Tuesday evening
	der	**Kinobesuch**, die Kinobesuche	visit to the movies
	der	**Friseur**, die Friseure	hairdresser *(m)*
	die	**Friseurin**, die Friseurinnen	hairdresser *(f)*
		vorschlagen, er schlägt vor	(to) suggest
		ablehnen, er lehnt ab	(to) decline
		mir	me
		müssen, er muss	must (to have to)
		zustimmen, er stimmt zu	(to) agree
6	*die*	***Pünktlichkeit***	punctuality
6a		**pünktlich**	punctual, on time
		unpünktlich	tardy, late
	die	**Party**, die Partys	party
6b		**denken**, er denkt	(to) think
		glauben, er glaubt	(to) believe
	die	**Bahn**, die Bahnen	railway
		erst	only, not until
		genauso	just as

Übungen

3a		***einzeichnen**, er zeichnet ein*	(to) draw in
5		**jeder, jedes, jede**	each
	das	**Tennis**	tennis
	das	***Yoga***	yoga
6a		**von ... bis**	from ... to
8	*das*	***Finanzamt**, die Finanzämter*	tax office
8a		***Ich hätte gern ...***	I would like ...
	die	***Sprechzeit**, die Sprechzeiten*	visiting time

Ü9a		**Gute Nacht!**	Good night!
Ü10b	der	**Mittwochmorgen**	Wednesday morning
Ü11	*das*	***Kulturfest**, die Kulturfeste*	cultural festival
	das	***Wasserfest**, die Wasserfeste*	water festival
	der	**Freitagnachmittag**	Friday afternoon
	der	***Yoga-Kurs**, die Yoga-Kurse*	yoga class
	der	**Mittwochabend**, die Mittwochabende	Wednesday evening
Ü12b	der	**Notizzettel**, die Notizzettel	post-it note
Ü13	das	**Geld**, die Gelder	money
Ü14	der	**Bus**, die Busse	bus
		toll	great
		Liebe Grüße (LG)	lots of love
Ü17		***Bis dann!***	Til then!
Ü18		***joggen**, er joggt*	(to) jog
		telefonieren, er telefoniert	(to) talk on the telephor
		gesund	healthy

Fit für Einheit 6? Testen Sie sich!

der	**Montagvormittag**, die Montagvormittage	Monday morning
	temporal	temporal, of time

6 Orientierung

der	**Weg**, die Wege	way
der	**Arbeitsplatz**, die Arbeitsplätze	position

Arbeiten in Leipzig

die	**U-Bahn**, die U-Bahnen	subway
das	**Moped**, die Mopeds	moped, motorbike
die	**Straßenbahn**, die Straßenbahnen	streetcar, tram
die	**Fähre**, die Fähren	ferry
der	**Fuß (zu Fuß)**, die Füße	foot (on foot)
der	***Hauptbahnhof**, die Hauptbahnhöfe*	main station
	halb	half
der	***Bibliothekar**, die Bibliothekare*	librarian (*m*)
die	***Bibliothekarin**, die Bibliothekarinnen*	librarian (*f*)
die	***Universitätsbibliothek (Unibibliothek)**, die Universitätsbibliotheken (Unibibliotheken)*	university library
die	**Etage**, die Etagen	storey, floor
die	***Viertelstunde**, die Viertelstunden*	quarter hour
der	***Stadtverkehr***	urban traffic
der	**Stadtplan**, die Stadtpläne	city map
das	**Hotel**, die Hotels	hotel

1

2 In der Unibibliothek

2.1	*der*	***Lesesaal**, die Lesesäle*	reading room
	die	***Internetseite**, die Internetseiten*	web page
	der	***Katalog**, die Kataloge*	catalogue
		online	on-line
		unten	at the bottom
	die	**Cafébar**, die Cafébars	cafe-bar
	die	**Bar**, die Bars	bar, pub
	das	**Erdgeschoss**, die Erdgeschosse	ground floor
	das	**Sandwich**, die Sandwiche(s)	sandwich
	die	**Suppe**, die Suppen	soup
	die	***Garderobe**, die Garderoben*	cloakroom, coat-check
	der	**Ausgang**, die Ausgänge	exit
		finden, er findet	(to) find
	der	**Gruppenarbeitsraum**, die Gruppenarbeitsräume	group workroom
	die	***Verwaltung**, die Verwaltungen*	administration
2.2a	die	**Werbung**	publicity
2.3b		**hinter**	behind
2.4b		**hineinschreiben**, er schreibt hinein	(to) write in
	der	***Gruppenraum**, die Gruppenräume*	group room
2.5	die	**Sprachschule**, die Sprachschulen	language school
	das	**Sekretariat**, die Sekretariate	administration office

Wo ist mein Terminkalender?

	der	**Terminkalender**, die Terminkalender	appointment calendar
1	die	**Tastatur**, die Tastaturen	keyboard
	die	**Maus**, die Mäuse	mouse
1a	der	**Monitor**, die Monitore	monitor
	der	**Drucker**, die Drucker	printer
	die	**Kaffeetasse**, die Kaffeetassen	coffee cup, mug
	der	***Notizblock**, die Notizblöcke*	note pad
	der	**Ordner**, die Ordner	computer
	die	**Pflanze**, die Pflanzen	plant
	der	***Papierkorb**, die Papierkörbe*	wastepaper basket
	das	**Bild**, die Bilder	picture
2a		**unter**	under
		neben	beside
	die	**Wand**, die Wände	wall
2b		**hängen**, er hängt	(to) hang
	der	***Dativ**, die Dative*	dative
3		**eine/r**	one person *(f/m)*

Termine machen

1	*die*	***Terminangabe**, die Terminangaben*	appointment detail
1a	die	**Beratung**, die Beratungen	consultation
	die	**Besprechung**, die Besprechungen	meeting
	der	**Chef**, die Chefs	chief, boss
	die	***Dienstreise**, die Dienstreisen*	business trip
	der	**Arzttermin**, die Arzttermine	doctor's appointment

	das	***Meeting**, die Meetings*	meeting
4.2	*die*	***Ordnungszahl**, die Ordnungszahlen*	ordinal number
	der	**Geburtstag**, die Geburtstage	birthday
4.3		***gebären**, sie gebärt*	(to) give birth to
	der	**Geburtstagskalender**, die Geburtstagskalender	birthday calendar

5 Die Stadt Leipzig – zwischen Bach und Porsche

5.1	die	**Wirtschaft**	economy
	die	**Großstadt**, die Großstädte	big city
		stattfinden, es findet statt	(to) take place
	die	**Messe**, die Messen	exhibition, fair
		berühmt	famous
	der	***Komponist**, die Komponisten*	composer *(m)*
	die	***Komponistin**, die Komponistinnen*	composer *(f)*
	der	**Schüler**, die Schüler	schoolboy
	die	**Schülerin**, die Schülerinnen	schoolgirl
	der	***Kantor**, die Kantoren*	cantor *(m)*
	die	***Kantorin**, die Kantorinnen*	cantor *(f)*
	der	**Leiter**, die Leiter	leader *(m)*
	die	**Leiterin**, die Leiterinnen	leader *(f)*
	der	***Chor**, die Chöre*	choir
		***existieren**, es existiert*	(to) exist
		geben, er gibt	(to) give
	die	***Industriestadt**, die Industriestädte*	industrial city
		***produzieren**, er produziert*	(to) produce
	das	***Stadtzentrum**, die Stadtzentren*	city-centre

	die ***Einkaufspassage****, die Einkaufspassagen*	shopping arcade
	attraktiv	attractive
	der ***Musikfan****, die Musikfans*	music fan
	der ***Bücherfreund****, die Bücherfreunde*	book lover *(m)*
	die ***Bücherfreundin****, die Bücherfreundinnen*	book lover *(f)*
	der **März**	March
	die ***Buchmesse****, die Buchmessen*	book fair
	der **Tipp**, die Tipps	tip
	das ***Shopping-Paradies****, die Shopping-Paradiese*	shopping paradise
2	**interessieren (jdn.)**, es interessiert jdn.	(to) be of interest to sb
	der **Plan**, die Pläne	plan

Übungen

1	das **Verkehrsmittel**, die Verkehrsmittel	method of transportation
2	das **Institut**, die Institute	institute
4a	*das* ***Fragepronomen****, die Fragepronomen*	interrogative pronoun
	nach Hause	home
	das **Krankenhaus**, die Krankenhäuser	hospital
5b	die **Cafeteria**, die Cafeterien	cafeteria
8	**geradeaus**	straight on / ahead
12	das **Urlaubsfoto**, die Urlaubsfotos	vacation photo
	Meine Liebe, …	my dear

Ü13	das	**Datum**, die Daten	date
Ü14		**informieren (über etw.)**, er informiert über etw.	(to) inform (about sth)
		kaufen, er kauft	(to) buy
	der	**August**	August
Ü15b	*der*	***Kinofilm**, die Kinofilme*	movie

Berufsbilder

der	**Sekretär**, die Sekretäre	secretary *(m)*
die	**Sekretärin**, Sekretärinnen	secretary *(f)*
der	***Teddybär**, die Teddybären*	teddy bear
das	***Stofftier**, die Stofftiere*	stuffed animal
	typisch	typical
die	**Büroarbeit**, die Büroarbeiten	office work
das	***Telefonat**, die Telefonate*	telephone call
das	**Fax**, die Faxe	fax
	senden, er sendet	(to) send
	organisieren, er organisiert	(to) organize
	***kooperieren**, er kooperiert*	(to) cooperate
die	***Geschäftsreise**, die Geschäftsreisen*	business trip
	***koordinieren**, er koordiniert*	(to) coordinate
der	**Flug**, die Flüge	flight
das	**Hotelzimmer**, die Hotelzimmer	hotel room
	buchen, er bucht	(to) book
der	***Geschäftspartner**, die Geschäftspartner*	business partner *(m)*
die	***Geschäftspartnerin**, die Geschäftspartnerinnen*	business partner *(f)*
	betreuen, er betreut	(to) supervise
der	**Gast**, die Gäste	guest
das	***Protokoll**, die Protokolle*	protocol, minutes
die	**Organisation**, die Organisationen	organization
die	***Fremdsprachenkenntnisse***	foreign language skills
die	**Karriere**, die Karrieren	career

1.2	*das*	***Stichwort**, die Stichwörter*	keyword
1.3	*der*	***Automechatroniker**, die Automechatroniker*	automotive mechatronic engineer / technician *(m)*
	die	***Automechatronikerin**, die Automechatronikerinnen*	automotive mechatronic engineer / technician
1.3a	die	**Autowerkstatt**, die Autowerkstätten	auto repair shop
	der	**Meister**, die Meister	master
	die	**Meisterin**, die Meisterinnen	mistress
	der	**Azubi**, die Azubis	apprentice, trainee, student *(m)*
	die	**Azubi**, die Azubis	apprentice, trainee, student *(f)*
	die	**Arbeitszeit**, die Arbeitszeiten	working hours
	der	**Service**	service
	die	**Aufgabe**, die Aufgaben	task
	die	***Diagnose**, die Diagnosen*	diagnosis
		reparieren, er repariert	(to) repair
	der	**Kunde**, die Kunden	customer *(m)*
	die	**Kundin**, die Kundinnen	customer *(f)*
		beraten, er berät	(to) advise
		abholen, er holt ab	(to) pick up
	die	**Diskussion**, die Diskussionen	discussion
	die	**Kosten** (Pl.)	costs, expenses
1.4	die	**Reparatur**, die Reparaturen	repair
	der	**Motor**, die Motoren	motor
		kaputt	broken

Wörter – Spiele – Training

die	*Wortschatzübung, die Wortschatzübungen*	vocabulary exercise
	selbst	on one's own
die	***Wörterreihe**, die Wörterreihen*	series of words
das	**Blatt**, die Blätter	page
die	**Reihe**, die Reihen	row, series
das	***Partnerwort**, die Partnerwörter*	partner word
	meinen, er meint	(to) mean
das	***Konsonantentraining**, die Konsonantentrainings*	consonant drill
die	**Post**	post
der	**Brief**, die Briefe	letter
	bearbeiten, er bearbeitet	(to) process
	gelb	yellow
	lieb (haben), er hat lieb	(to) like
	***dirigieren**, er dirigiert*	(to) direct
	danach	after that
	wohin	where to
die	**Flasche**, die Flaschen	bottle
	wollen, er will	(to) want
der	***Zungenbrecher**, die Zungenbrecher*	tongue twister
	wenn	if
die	**Fliege**, die Fliegen	fly
	***nachfliegen**, er fliegt nach*	(to) fly after
	tauschen (mit), er tauscht mit	(to) trade (with)
das	***Arbeitsblatt**, die Arbeitsblätter*	worksheet
	wählen, er wählt	(to) choose

3 Filmstation

3.1c	die	**Nachttischlampe**, die Nachttischlampen	bedside lamp
3.2	*der*	***Computer-Fitnesstest**, die Computer-Fitnesstests*	computer-fitness test
3.3	die	**Gesprächsnotiz**, die Gesprächsnotizen	note from a conversatio
3.3a	die	**Notiz**, die Notizen	note
3.4	die	**Dame**, die Damen	lady, woman

4 Magazin

die	**Früh (in der Früh)**	early
	nachdenken, er denkt nach	(to) think about
die	**Erde**	Earth
	***entspannen**, er entspannt*	(to) relax
der	**Haushalt**, die Haushalte	household
	konsumieren, er konsumiert	(to) consume
das	***Medium**, die Medien*	medium, media
	fernsehen, er sieht fern	(to) watch television
	surfen, er surft	(to) surf

die	**Statistik**, die Statistiken	statistic
	auswerten, *er wertet aus*	(to) evaluate

Was machen Sie beruflich?

die	**Werkstatt**, die Werkstätten	workshop
der	***Friseursalon***, *die Friseursalons*	hair salon
das	***Blumengeschäft***, *die Blumengeschäfte*	flower shop
die	**Blume**, die Blumen	flower
die	**Baustelle**, die Baustellen	construction site
	beruflich	as an occupation
der	**Ingenieur**, die Ingenieure	engineer *(m)*
die	**Ingenieurin**, die Ingenieurinnen	engineer *(f)*
der	***Programmierer***, *die Programmierer*	programmer *(m)*
die	***Programmiererin***, *die Programmiererinnen*	programmer *(f)*
der	***Taxifahrer***, *die Taxifahrer*	taxi driver *(m)*
die	***Taxifahrerin***, *die Taxifahrerinnen*	taxi driver *(f)*
die	**Krankenschwester**, die Krankenschwestern	nurse
der	***Koch***, *die Köche*	cook *(m)*
die	***Köchin***, *die Köchinnen*	cook *(f)*
der	***Florist***, *die Floristen*	florist *(m)*
die	***Floristin***, *die Floristinnen*	florist *(f)*
	arbeiten (als), er arbeitet (als)	(to) work (as)

	von Beruf (sein)	by occupation
1.3	**sein, sein, seine**	his

2 Berufe und Tätigkeiten

2.1		***feminin***	feminine
		unterrichten, er unterrichtet	(to) teach
		verkaufen, er verkauft	(to) sell
		schneiden, er schneidet	(to) cut
	das	**Haar**, die Haare	hair
	das	***Computerprogramm**, die Computerprogramme*	computer program
		untersuchen, er untersucht	(to) examine
	der	**Patient**, die Patienten	patient *(m)*
	die	**Patientin**, die Patientinnen	patient *(f)*
	das	***Schuhgeschäft**, die Schuhgeschäfte*	shoe store
	der	**Verkäufer**, die Verkäufer	salesman
	die	**Verkäuferin**, die Verkäuferinnen	saleswoman
	der	***Kfz-Mechatroniker**, die Kfz-Mechatroniker*	automotive mechatron engineer / technician *(m)*
	die	***Kfz-Mechatronikerin**, die Kfz-Mechatronikerinnen*	automotive mechatron engineer / technician
	die	**Maschine**, die Maschinen	machine (car)
2.2	*die*	***Berufsbezeichnung**, die Berufsbezeichnungen*	occupational designatic
	die	***Bezeichnung**, die Bezeichnungen*	designation
	der	**Krankenpfleger**, die Krankenpfleger	nurse *(m)*

die	**Krankenpflegerin**, die Krankenpflegerinnen	nurse *(f)*
der	**Hausmann**, die Hausmänner	house husband
die	**Hausfrau**, die Hausfrauen	housewife
die	**Heizung**, die Heizungen	heating
die	***Projektleitung**, die Projektleitungen*	project management
das	**Programm**, die Programme	program
die	***Krankenkasse**, die Krankenkassen*	health insurance company
die	**Visitenkarte (Karte)**, die Visitenkarten (die Karten)	business / calling card (card)
der	***Redakteur**, die Redakteure*	editor *(m)*
die	***Redakteurin**, die Redakteurinnen*	editor *(f)*
das	***Telefax**, die Telefaxe*	fax
die	***Software**, die Softwares*	software
die	***Tischlerei**, die Tischlereien*	cabinet-maker's / carpentry shop
	privat	private
	übergeben, er übergibt	(to) hand over

Neue Berufe

	trainieren, er trainiert	(to) practise
	leiten, er leitet	(to) lead
	planen, er plant	(to) plan
das	**Studio**, die Studios	studio
das	**Ticket**, die Tickets	ticket
	reservieren, er reserviert	(to) reserve

3.2	*der*	***Call-Center-Agent**, die Call-Center-Agenten*	call-centre agent *(m)*
	die	***Call-Center-Agentin**, die Call-Center-Agentinnen*	call-centre agent *(f)*
3.2a	*das*	***Call-Center**, die Call-Center*	call centre
		sitzen, er sitzt	(to) sit
	die	***Flugzeit**, die Flugzeiten*	flight time
	das	***Flugticket**, die Flugtickets*	airline ticket
		freundlich	friendly
		leicht	light, easy
		flexibel	flexible
		stundenlang	for hours
3.3	*der*	***Sport- und Fitnesskaufmann**, die Sport- und Fitnesskaufmänner*	sport and fitness salesm
	die	***Sport- und Fitnesskauffrau**, die Sport- und Fitnesskauffrauen*	sport and fitness saleswoman
3.3a	der	**Trainer**, die Trainer	trainer *(m)*
	die	**Trainerin**, die Trainerinnen	trainer *(f)*
	der	***Aerobic-Kurs**, die Aerobic-Kurse*	aerobic class
	das	***Aerobic***	aerobics
	das	***Sportgerät**, die Sportgeräte*	(piece of) sport equipment
	das	**Mitglied**, die Mitglieder	member
	der	**Sportkurs**, die Sportkurse	sport class
	der	***Animateur**, die Animateure*	animateur, animator *(m*
	die	***Animateurin**, die Animateurinnen*	animateur, animator *(f)*
	der	***Sportclub**, die Sportclubs*	sport club
3.3b	*der*	***Arbeitsort**, die Arbeitsorte*	place of work
3.3c	das	**Ausland**	foreign countries (im Ausland = abroad)

das	***Sportprogramm**, die Sportprogramme*	sport program
der	***Traumberuf**, die Traumberufe*	dream job
	vorlesen, er liest vor	(to) read aloud
die	**Idee**, die Ideen	idea
die	***Fabrik**, die Fabriken*	factory
das	**Tier**, die Tiere	animal
	früh	early
	verdienen, er verdient	(to) earn
	***zusammenarbeiten**, sie arbeiten zusammen*	(to) work together
	nie	never
die	***Landeskunde***	geography
die	**Arbeitslosigkeit**	unemployment
	weltweit	world-wide
	arbeitslos	unemployed
die	***Arbeitsagentur**, die Arbeitsagenturen*	manpower agency
	melden, er meldet	(to) register
der	***Arbeitslose**, die Arbeitslosen*	unemployed man
die	***Arbeitslose**, die Arbeitslosen*	unemployed woman
	einige	some, several
die	***Agentur**, die Agenturen*	agency
die	***Suche**, die Suchen*	search
die	**Ausbildung**, die Ausbildungen	training, education
das	***Berufsinformationszentrum**, die Berufsinformationszentren*	career information centre

4 Ich muss um sieben Uhr aufstehen. Und du?

4.1	*die*	***Autogrammjagd**, die Autogrammjagden*	autograph hunt
	die	**Unterschrift**, die Unterschriften	signature
4.2	*das*	***Modalverb**, die Modalverben*	modal verb
4.3	der	**Kindergarten**, die Kindergärten	kindergarten, preschool
	die	**Ferien** (Pl.)	vacation
	das	***Fußballtraining**, die Fußballtrainings*	football / soccer practice

5 Ich habe keinen Chef

5.1	*das*	***Artikelwort**, die Artikelwörter*	article word
5.1b	*die*	***Akkusativendung**, die Akkusativendungen*	accusative ending
5.3	der	**Koffer**, die Koffer	suitcase
		***einpacken**, er packt ein*	(to) pack
5.4		**zufrieden**	happy, content
		hassen, er hasst	(to) hate
	die	***Angabe**, die Angaben*	piece of information
	der	***Berufstätige**, die Berufstätigen*	working man
	die	***Berufstätige**, die Berufstätigen*	working woman

Ü Übungen

Ü4b		**bauen**, er baut	(to) build
		gerade	right now
Ü4d	*das*	***Lösungswort**, die Lösungswörter*	solution (word)
Ü6	*das*	***Berufswort**, die Berufswörter*	occupation word

9a	*die*	***E-Mail-Adresse**, die E-Mail-Adressen*	email address
	der	**Titel**, die Titel	title
		städtisch	municipal
	die	***Klinik**, die Kliniken*	clinic
	die	***Allgemeinmedizin***	general / family medicine
	der	***Chefarzt**, die Chefärzte*	chief physician *(m)*
	die	***Chefärztin**, die Chefärztinnen*	chief physician *(f)*
		mobil (Handy)	mobile
9b	*der*	***Computerexperte**, die Computerexperten*	computer expert *(m)*
	die	***Computerexpertin**, die Computerexpertinnen*	computer expert *(f)*
12	*der*	***Erzieher**, die Erzieher*	early childhood educator *(m)*
	die	***Erzieherin**, die Erzieherinnen*	early childhood educator *(f)*
12a		**singen**, er singt	(to) sing
12b	der	**Vorteil**, die Vorteile	advantage
	der	**Nachteil**, die Nachteile	disadvantage
12c		**bedeuten**, es bedeutet	(to) mean, signify
		möglich	possible
	die	**Pflicht**, die Pflichten	obligation
15		**draußen**	outside
17	die	**Meinung**, die Meinungen	opinion, thought
17a	der	**Kellner**, die Kellner	waiter
	die	**Kellnerin**, die Kellnerinnen	waitress
	das	**Team**, die Teams	team
		aufräumen, er räumt auf	(to) clean up
17b	*das*	***Possessivpronomen**, die Possessivpronomen / Possessivpronomina*	possessive pronoun

Ü18 die **Schere**, die Scheren — pair of scissors

Fit für Einheit 8? Testen Sie sich!

die ***Funktion****, die Funktionen* — function

8 Berlin sehen

die	**Reise**, die Reisen	trip
die	***Postkarte**, die Postkarten*	postcard

Mit der Linie 100 durch Berlin

	nordisch	Nordic
die	**Botschaft**, die Botschaften	embassy
das	**Schloss**, die Schlösser	castle
der	**Bundestag**	German parliament
die	**Kirche**, die Kirchen	church
die	**Linie**, die Linien	line
	durch	through
das	***Bundeskanzleramt***	German chancellery
der	**Teilnehmer**, die Teilnehmer	participant *(m)*
die	**Teilnehmerin**, die Teilnehmerinnen	participant *(f)*
die	***Exkursion**, die Exkursionen*	excursion
der	**Juni**	June
die	**Abfahrt**, die Abfahrten	departure
der	***Busbahnhof**, die Busbahnhöfe*	bus station
die	**Ankunft**, die Ankünfte	arrival
der	***Stadtbummel**, die Stadtbummel*	stroll about town
.2 die	***Berlin-Exkursion**, die Berlin-Exkursionen*	Berlin excursion
.2a der	**Spaziergang**, die Spaziergänge	walk
das	***Regierungsviertel**, die Regierungsviertel*	government quarter
	besichtigen, er besichtigt	(to) visit / view

	der ***Flohmarkt****, die Flohmärkte*	flee market
	bummeln (über)*, er bummelt über*	(to) stroll (around)
	der **Hit**, die Hits	hit
	die ***Stadtrundfahrt****, die Stadtrundfahrten*	city tour
	voll	full
	besonders	especially
	beliebt	well-loved
	die **Reihe**, die Reihen	row, series
	fotografieren, er fotografiert	(to) photograph
	der ***Exkursionsleiter****, die Exkursionsleiter*	excursion leader *(m)*
	die ***Exkursionsleiterin****, die Exkursionsleiterinnen*	excursion leader *(f)*
1.2b	*der* ***Busplan****, die Buspläne*	bus map
	die **Haltestelle**, die Haltestellen	bus stop
1.2c	die **Route**, die Routen	route
	die **Galerie**, die Galerien	gallery

2 Wie komme ich zur Friedrichstraße?

2.1a	***Wo geht's zum / zur …?***	How do you get to …?
	weit	far
	entlang	along
	die ***Querstraße****, die Querstraßen*	cross-street
2.3b	*das* ***Silbenende****, die Silbenenden*	end of (a) syllable
2.4	*die* ***Wegbeschreibung****, die Wegbeschreibungen*	directions
2.4a	*das* ***Lernplakat****, die Lernplakate*	learning poster
	das ***Stadttor****, die Stadttore*	city gate

	die **Kreuzung**, die Kreuzungen	intersection, crossing
	vorbei (an)	past
4b	*der* ***Startpunkt**, die Startpunkte*	starting point
	der ***Zielpunkt**, die Zielpunkte*	goal
	die **Schlossbrücke**, die Schlossbrücken	castle bridge
	die **Brücke**, die Brücken	bridge
	die **Ampel**, die Ampeln	streetlight
	danken (jdm.), er dankt jdm.	(to) thank (sb)
	Gern geschehen!	My pleasure!

Wohin gehen die Touristen?

1	***memorisieren**, er memorisiert*	(to) memorize
2	die **Richtung**, die Richtungen	direction
	mancher, manches, manche	some
	***verwechseln**, er verwechselt*	(to) confuse, mix up
	Welch ein Irrtum!	What an error / misconception!
	der ***Irrtum**, die Irrtümer*	error, misconception
3	das **Geschenk**, die Geschenke	gift, present
	die **Kamera**, die Kameras	camera
4	das **Rathaus**, die Rathäuser	city hall
	der **Oktober**	October
5	**laufen**, er läuft	(to) walk
	die **Fußgängerzone**, die Fußgängerzonen	pedestrian zone
	das ***Messegelände**, die Messegelände*	fair grounds, exhibition site
	die ***Touristeninformation**, die Touristeninformationen*	tourist information office

	die	***Touristeninformation,*** *die Touristeninformationen*	tourist information offic
3.7	*das*	***Orientierungsspiel,*** *die Orientierungsspiele*	orientation game
3.8	das	**Ziel**, die Ziele	goal

4 Die Exkursion

4.1		**gefallen**, es gefällt	(to) please, it pleases
		bald	soon
		interessieren (sich für etw.), er interessiert sich für etw.	(to) be interested (in sth
	die	***Architektur**, die Architekturen*	architecture
		klassisch	classic(al)
		mieten, er mietet	(to) rent
		unterwegs	out and about, underw
		sportlich	athletic
4.2a	der	**Schluss (zum Schluss)**, die Schlüsse	end (at the end)
	der	***Club**, die Clubs*	club
		feiern, er feiert	(to) celebrate, party
4.2b		***überarbeiten**, er überarbeitet*	(to) rework, edit
		***formulieren**, er formuliert*	(to) formulate
	der	**Besuch**, die Besuche	visit
		thematisch	thematic
	die	***Stadtführung**, die Stadtführungen*	guided city tour
		jüdisch	Jewish
	die	**Mauer**, die Mauern	wall
	die	***Parade**, die Paraden*	parade

der	***Museumsbesuch**, die Museumsbesuche*	museum visit
die	***Rückfahrt**, die Rückfahrten*	return trip
die	***Internetrallye**, die Internetrallyes*	internet rally
	virtuell	virtual
das	**Stadtviertel**, die Stadtviertel	(city) quarter

Übungen

das	***Wörterrätsel**, die Wörterrätsel*	word puzzle
die	**Politik**	politics
die	**Sache**, die Sachen	thing
	ankommen, er kommt an	(to) arrive
die	**Zeile**, die Zeilen	line
	vorbeifahren (an etw.), er fährt an etw. vorbei	(to) drive by (sth)
	täglich	daily
der	**Bundespräsident**, die Bundespräsidenten	German President *(m)*
die	**Bundespräsidentin**, die Bundespräsidentinnen	German President *(f)*
der	**Bundeskanzler**, die Bundeskanzler	German Chancellor *(m)*
die	**Bundeskanzlerin**, die Bundeskanzlerinnen	German Chancellor *(f)*
	bzw. (= beziehungsweise)	or
das	**Gebäude**, die Gebäude	building
	besondere	special
	bekannt	known
der	***Musikstil**, die Musikstile*	musical style
	***Techno** (Musikstil)*	techno (musical style)

		Elektro *(Musikstil)*	electro (musical style)
Ü6b		**weitergehen**, er geht weiter	(to) go on
Ü7a	die	**Regierung**, die Regierungen	government
		erleben, *er erlebt*	(to) experience
Ü8		**etwa**	about
Ü10	*der*	***Silbenanfang***, *die Silbenanfänge*	beginning of (a) syllable
Ü11		**nachfragen**, er fragt nach	(to) ask about
Ü13		**Jung und Alt**	young and old
	der	**Ausländer**, die Ausländer	foreigner *(m)*
	die	**Ausländerin**, die Ausländerinnen	foreigner *(f)*
	die	**Übernachtung**, die Übernachtungen	overnight stay
Ü14	*der*	***Touristenführer***, *die Touristenführer*	tourist guide *(m)*
	die	***Touristenführerin***, *die Touristenführerinnen*	tourist guide *(f)*
	die	***Einkaufsstraße***, *die Einkaufsstraßen*	shopping street
Ü15c		***nummerieren***, *er nummeriert*	(to) number
Ü16		**echt**	real
		klasse	classy, great
		anschließend	at the end, finally
	das	***Musical***, *die Musicals*	musical
		losmüssen, *er muss los*	(to) have to go

das	***Urlaubserlebnis**, die Urlaubserlebnisse*	vacation experience
der	**Unfall**, die Unfälle	accident

Willkommen im Reiseland Deutschland

der	**Wald**, die Wälder	wood, forest
der	**Berg**, die Berge	mountain
die	***Altstadt**, die Altstädte*	old (part of the) city
der	**Fluss**, die Flüsse	river
der	**See**, die Seen	lake
der	**Strand**, die Strände	beach, strand
die	**Insel**, die Inseln	island
	Willkommen	welcome
das	***Reiseland**, die Reiseländer*	country to visit
der	***Stadturlauber**, die Stadturlauber*	city vacationer *(m)*
die	***Stadturlauberin**, die Stadturlauberinnen*	city vacationer *(f)*
das	***Reiseziel**, die Reiseziele*	trip destination
	romantisch	romantic
die	**Sonne**	sun
das	**Meer**, die Meere	ocean, sea
der	***Urlauber**, die Urlauber*	vacationer *(m)*
die	***Urlauberin**, die Urlauberinnen*	vacationer *(f)*
der	**Juli**	July
der	***Strandkorb**, die Strandkörbe*	roofed wicker beach chair
	schmal	narrow

	das **Dach**, die Dächer	roof
	das ***Stroh***	straw
	das ***Reetdach-Haus****, die Reetdach-Häuser*	(reed-roofed) thatched house
	wandern, er wandert, er ist gewandert	(to) hike
	die ***Touristenattraktion****, die Touristenattraktionen*	tourist attraction
	die ***Attraktion****, die Attraktionen*	attraction
	die ***Besichtigung****, die Besichtigungen*	visit, viewing
	fast	almost
	die ***Warteschlange****, die Warteschlangen*	queue
1.1	*das* ***Topreiseziel****, die Topreiseziele*	top trip destination
1.2b	das **Wetter**	weather
	langweilig	boring
	prima	swell
	schlecht	bad

2 Familie Mertens im Urlaub

vormittags	in the morning
die ***Radtour****, die Radtouren*	cycling tour
die ***Etappe****, die Etappen*	stage, step
km (= Kilometer)	km (= kilometre)
schaffen, er schafft, er hat geschafft	(to) accomplish
mittags	at noon
das ***Picknick****, die Picknicke / Picknicks*	picnic
die **Pension**, die Pensionen	guesthouse

	***übernachten**, er übernachtet, er hat übernachtet*	(to) stay overnight
	müde	tired
der	***Bummel**, die Bummel*	stroll
	***probieren**, er probiert, er hat probiert*	(to) try
die	***Weiterfahrt**, die Weiterfahrten*	continued journey
das	***Kloster**, die Klöster*	cloister, monastery
das	***Riesenrad**, die Riesenräder*	Ferris wheel
	anschauen, er schaut an, er hat angeschaut	(to) take a look at
	erreichen, er erreicht, er hat erreicht	(to) reach
die	***Tour**, die Touren*	tour
die	***Europakarte**, die Europakarten*	map of Europe
das	***Tagebuch**, die Tagebücher*	journal, diary
das	***Ferienwort**, die Ferienwörter*	vacation word
die	***Kombination**, die Kombinationen*	combination
der	***Reiseführer**, die Reiseführer*	guidebook
	***zelten**, er zeltet, er hat gezeltet*	(to) tent
die	***Städtereise**, die Städtereisen*	tour of cities
die	***Wanderung**, die Wanderungen*	walking tour
das	***Perfekt***	(present) perfect
die	***Partizip-II-Form**, die Partizip-II-Formen*	past participle form
das	***Partizip II***	past participle
	nichts	nothing
	passieren, es passiert, es ist passiert	(to) happen
das	***Satzende**, die Satzenden*	end of (a) sentence

3 Was ist passiert?

3.2	*der*	***Eintrag**, die Einträge*	entry, listing
	die	**Mutter**, die Mütter	mother
		fallen, er fällt, er ist gefallen	(to) fall
		kurz vor	shortly before
	der	**Ball**, die Bälle	ball
		plötzlich	suddenly
	der	**Vater**, die Väter	father
		verlieren, er verliert, er hat verloren	(to) lose
		weiterfahren, er fährt weiter, er ist weitergefahren	(to) continue (a journe
3.4		**Bis bald!**	See you soon!
3.5		***unregelmäßig***	irregular
3.5a	*die*	***Perfektform**, die Perfektformen*	present perfect form
3.5b	die	**meisten**	mostly, usually
		bleiben, er bleibt, er ist geblieben	(to) remain
3.6	die	**Umfrage**, die Umfragen	survey
3.6a	*die*	***Aktivität**, die Aktivitäten*	activity

4 Urlaubsplanung und Ferientermine

	die	***Urlaubsplanung**, die Urlaubsplanungen*	vacation planning
	der	**Ferientermin**, die Ferientermine	vacation date
4.1	der	**Monatsname**, die Monatsnamen	name of (a) month
	der	**Januar**	January

der	**Februar**	February
der	**April**	April
der	**Mai**	May
der	**September**	September
der	**November**	November
der	**Dezember**	December
das	**Ostern**	Easter
das	**Pfingsten**	Pentecost
	***beachten**, er beachtet, er hat beachtet*	(to) consider
die	**Herbstferien** (Pl.)	fall vacation
die	**Weihnachtsferien** (Pl.)	Christmas holiday
die	**Winterferien** (Pl.)	winter vacation
die	**Osterferien** (Pl.)	Easter vacation
der	**Frühling**	spring
die	**Sommerferien** (Pl.)	summer vacation
der	***Lieblingsmonat**, die Lieblingsmonate*	favourite month
der	***Sommerhit**, die Sommerhits*	summer hit
das	**Lied**, die Lieder	song
das	***Urlaubswort**, die Urlaubswörter*	vacation word
der	***Sonnenschein***	sunshine
der	***Flieger**, die Flieger*	airplane
	***bereitmachen (sich)**, er macht sich bereit, er hat sich bereitgemacht*	(to) get ready
	reif	ripe
die	**Zärtlichkeit**, die Zärtlichkeiten	tenderness
	raus	out
der	**Regen**	rain
	entgegen	toward

5 Urlaub mit dem Auto

5.1	das	**Urlaubsziel**, die Urlaubsziele	vacation destination
	das	**Urlaubsland**, die Urlaubsländer	vacation country
	der	***Urlaubsfavorit**, die Urlaubsfavoriten*	vacation favourite
	der	***Autourlauber**, die Autourlauber*	driving vacationer (*m*)
	die	***Autourlauberin**, die Autourlauberinnen*	driving vacationer (*f*)
		rund	around
	die	**Urlaubsreise**, die Urlaubsreisen	vacation trip
		entscheiden (sich für etw.), er entscheidet sich für etw., er hat sich für etw. entschieden	(to) decide (on sth)
5.2		**am liebsten**	preferably

Ü Übungen

Ü2	der	**Urlaubsort**, die Urlaubsorte	vacation spot
Ü2a	*der*	***Hörtext**, die Hörtexte*	listening text
Ü2b	die	**Tante**, die Tanten	aunt
	die	**Klasse**, die Klassen	class
Ü4a		**regnen**, es regnet, es hat geregnet	(to) rain
Ü4b		**unterstreichen**, er unterstreicht, er hat unterstrichen	(to) underline
	die	***Präteritum-Form**, die Präteritum-Formen*	simple past (preterite) form
Ü6b	der	**Nordosten**	North-east

	die	***Kulturhauptstadt**, die Kulturhauptstädte*	cultural capital
	das	***Musikfestival**, die Musikfestivals*	music festival
7a	*die*	***Schiffstour**, die Schiffstouren*	cruise
10	das	**Fest**, die Feste	festival
12	*das*	***Familienwort**, die Familienwörter*	family word
	die	**Großeltern** (Pl.)	grandparents
	die	**Geschwister** (Pl.)	siblings
14		**weitergehen**, es geht weiter, es ist weitergegangen	(to) continue
15	*der*	***Urlaubstyp**, die Urlaubstypen*	type of vacation
15a		**vermuten**, er vermutet, er hat vermutet	(to) suppose
15b	*der*	***Steckbrief**, die Steckbriefe*	profile
18	*die*	***Jahreszeit**, die Jahreszeiten*	season
		spazieren gehen, er geht spazieren, er ist spazieren gegangen	(to) go for a walk
	der	**Winter**, die Winter	winter

Fit für Einheit 10? Testen Sie sich!

der	**Herbst**, die Herbste	autumn

Station 3

1 Berufsbilder

1.1	*der*	***Reiseverkehrskaufmann**, die Reiseverkehrskaufmänner*	travel agent *(m)*
	die	***Reiseverkehrskauffrau**, die Reiseverkehrskauffrauen*	travel agent *(f)*
1.1a	*die*	***Reiseverkehrskaufleute** (Pl.)*	travel agents
1.1b	das	**Reisebüro**, die Reisebüros	travel agency
	der	**Spezialist**, die Spezialisten	specialist *(m)*
	die	**Spezialistin**, die Spezialistinnen	specialist *(f)*
		recherchieren, er recherchiert, er hat recherchiert	(to) research
	der	**Fahrplan**, die Fahrpläne	itinerary
	die	***Qualitätskontrolle**, die Qualitätskontrollen*	quality control
	der	***Reisetrend**, die Reisetrends*	travel trend
		letzter, letztes, letzte	last
	die	***Touristikmesse**, die Touristikmessen*	tourism fair
	die	***Trekking-Tour**, die Trekking-Touren*	hiking tour
	der	***Städte-Trip**, die Städtetrips*	city tour trip
1.2	*der*	***Fachangestellte (für Bäderbetriebe)**, die Fachangestellten (für Bäderbetriebe)*	skilled employee (for bathing facilities) *(m)*
	die	***Fachangestellte (für Bäderbetriebe)**, die Fachangestellten (für Bäderbetriebe)*	skilled employee (for bathing facilities) *(f)*
	die	***Bäderbetriebe***	bathing / swimming facilities

	verbringen, er verbringt, er hat verbracht	(to) spend (time)
der	***Badegast**, die Badegäste*	bathing facility visitor
der	***Schwimmmeister**, die Schwimmmeister*	swimming (pool) supervisor *(m)*
die	***Schwimmmeisterin**, die Schwimmmeisterinnen*	swimming (pool) supervisor *(f)*
der	***Bademeister**, die Bademeister*	bath attendant *(m)*
die	***Bademeisterin**, die Bademeisterinnen*	bath attendant *(f)*
der	***Beckenrand**, die Beckenränder*	pool edge
die	***Wasserqualität***	water quality
der	***Schwimmunterricht***	swimming classes
	***überwachen**, er überwacht, er hat überwacht*	(to) oversee
die	***Sauberkeit***	cleanliness
die	**Erste Hilfe**	first aid
der	***Rettungsschwimmer**, die Rettungsschwimmer*	lifeguard *(m)*
die	***Rettungsschwimmerin**, die Rettungsschwimmerinnen*	lifeguard *(f)*
das	***Freibad**, die Freibäder*	outdoor pool
das	***Hallenbad**, die Hallenbäder*	indoor pool
das	***Fitnesszentrum**, die Fitnesszentren*	fitness centre
das	***Wellness-Hotel**, die Wellness-Hotels*	wellness hotel
3a	**wozu**	about what
	retten, er rettet, er hat gerettet	(to) save
das	***Schwimmtraining***	swimming training
4 *das*	***Portrait**, die Portraits*	portrait

	die ***Kurzbeschreibung**, die Kurzbeschreibungen*	short description

2 Wörter – Spiele – Training

2.1	die	**Speisekarte**, die Speisekarten	menu
		***kassieren**, er kassiert, er hat kassiert*	(to) settle the bill, collec the money
2.2	*das*	***Labyrinth**, die Labyrinthe*	labyrinth
	die	**Beschreibung**, die Beschreibungen	description
2.3a	der	**Verkehr**	traffic
2.3b	das	**Plakat**, die Plakate	poster
2.4a		***maskulin***	masculine
		gegen	against
2.4b	das	**Feld**, die Felder	field
		usw. (= und so weiter)	etc. (and so on)

3 Filmstation

3.1		***Platz nehmen**, er nimmt Platz, er hat Platz genommen*	(to) take a seat
	die	**Erfahrung**, die Erfahrungen	experience
	die	***Verlagsarbeit**, die Verlagsarbeiten*	work in publishing
	der	***Wörterbuchverlag**, die Wörterbuchverlage*	dictionary publishing house
	der	**Autor**, die Autoren	author *(m)*
	die	**Autorin**, die Autorinnen	author *(f)*
	die	**Konferenz**, die Konferenzen	conference

3b

die	**Kopie**, die Kopien	copy
	um Hilfe bitten, er bittet um Hilfe, er hat um Hilfe gebeten	(to) ask for help
die	**Lust**	inclination, desire

3c

die	**Info**, die Infos	info, piece of info
	mailen, er mailt, er hat gemailt	(to) email
die	***Riesenhilfe**, die Riesenhilfen*	great help
	***etw. gut haben bei jdm.**, er hat etw. gut bei jdm., er hatte etwas gut bei jdm.*	(to) be owed by sb
	warum	why

Magazin

das	**Produkt**, die Produkte	product
die	**Creme**, die Cremes	cream
	***um die Welt gehen**, es geht um die Welt, es ist um die Welt gegangen*	(to) go around the world
	blau	blue
die	**Cremedose**, die Cremedosen	cream container
	weiß	white
die	**Schrift**, die Schriften	writing
der	**Markt (auf dem Markt sein)**, die Märkte	market (to be on the market)
der	***Apotheker**, die Apotheker*	pharmacist, chemist *(m)*
die	***Apothekerin**, die Apotheke-rinnen*	pharmacist, chemist *(f)*
das	***Labor**, die Labore*	laboratory
	entwickeln, er entwickelt, er hat entwickelt	(to) develop

das	**Öl**, die Öle	oil
	mischen, er mischt, er hat gemischt	(to) mix
die	**Hautcreme**, die Hautcremes	skin cream
	erfinden, er erfindet, er hat erfunden	(to) invent
der	**Schnee**	snow
die	**Dose**, die Dosen	container, jar, tin
	symbolisieren, *es symbolisiert, es hat symbolisiert*	(to) symbolize
die	***Frische***	freshness
die	***Bodylotion***, *die Bodylotions*	body lotion
die	***Kosmetikmarke***, *die Kosmetikmarken*	cosmetics brand
die	**Marke**, die Marken	brand
die	***Körperpflegemarke***, *die Körperpflegemarken*	body care market
die	**Energie**, die Energien	energy
die	**Hotelbar**, die Hotelbars	hotel bar
	isotonisch	isotonic
der	***Energy Drink***, *die Energy Drinks*	energy drink
die	**Milliarde**, die Milliarden	billion
der	***Sponsor***, *die Sponsoren*	sponsor *(m)*
die	***Sponsorin***, *die Sponsorinnen*	sponsor *(f)*
der	***Motorsport***, *die Motorsports*	motor sport
das	***Racing-Team***, *die Racing-Teams*	racing team
der	***Formel-1-Pilot***, *die Formel-1-Piloten*	formula-1 driver *(m)*
die	***Formel-1-Pilotin***, *die Formel-1-Pilotinnen*	formula-1 driver *(f)*

der	***WM-Titel (= Weltmeisterschaftstitel)**, die WM-Titel (= Weltmeisterschaftstitel)*	world championship title
die	***WM (= Weltmeisterschaft)**, die WMs (= Weltmeisterschaften)*	world championship
	gewinnen, er gewinnt, er hat gewonnen	(to) win
	unterstützen, er unterstützt, er hat unterstützt	(to) support
der	***Extremsportler**, die Extremsportler*	extreme athlete *(m)*
die	***Extremsportlerin**, die Extremsportlerinnen*	extreme athlete *(f)*
die	***Disziplin**, die Disziplinen*	discipline
das	***Base-Jumping***	BASE jumping (parachuting from a fixed object)
das	***Kitesurfen***	kitesurfing
das	***Snowboarden***	snowboarding
das	***Skateboarden***	skateboarding
das	***Eishockeyteam**, die Eishockeyteams*	(ice-)hockey team
die	***Liga**, die Ligen*	league
	außerdem	furthermore
der	***Fußballclub**, die Fußballclubs*	football / soccer club
die	**Kuh**, die Kühe	cow
	lila	purple, lilac
	gründen, er gründet, er hat gegründet	(to) found
der	***Bäcker**, die Bäcker*	baker *(m)*
die	***Bäckerin**, die Bäckerinnen*	baker *(f)*

die	***Schokoladenfabrik**, die Schokoladenfabriken*	chocolate factory
der	***Markenname**, die Markennamen*	brand name
die	**Schokolade**, die Schokoladen	chocolate
die	***Tonne**, die Tonnen*	metric ton
der	***Produktionsort**, die Produktionsorte*	production site
der	***Skisport***	ski sport
der	***Werbespot**, die Werbespots*	commercial
	schweizerisch	swiss
die	***Hitparade**, die Hitparaden*	hit parade
der	***Streifen**, die Streifen*	stripe
die	***AG (= Aktiengesellschaft)**, die AGs (= Aktiengesellschaften)*	public company
der	***Sportartikel**, die Sportartikel*	sporting article
die	***Firmengeschichte**, die Firmengeschichten*	company history
der	***Trainingsschuh**, die Trainingsschuhe*	trainer (training shoe)
der	***Läufer**, die Läufer*	runner *(m)*
die	***Läuferin**, die Läuferinnen*	runner *(f)*
die	***Reichsmark***	German Mark (pre-1949 currency)
	optimal	optimal
der	***Spezialschuh**, die Spezialschuhe*	specialized shoe
die	***Olympischen Spiele***	Olympic Games
die	***Goldmedaille**, die Goldmedaillen*	gold medal
der	**Sieg**, die Siege	win, victory

die	***Fußball-Nationalmannschaft**, die Fußball-Nationalmannschaften*	national football / soccer team
	weltbekannt	world-renowned
der	**Mitarbeiter**, die Mitarbeiter	employee *(m)*
die	**Mitarbeiterin**, die Mitarbeiterinnen	employee *(f)*
der	***Firmensitz**, die Firmensitze*	corporate headquarters

10 Essen und trinken

das	**Rezept**, die Rezepte	recipe

1 Lebensmittel auf dem Markt und im Supermarkt

	das	**Brot**, die Brote	(loaf of) bread
	die	**Butter**	butter
	die	**Kartoffel**, die Kartoffeln	potato
	das	**Hähnchen**, die Hähnchen	chicken, frier
	die	**Tomate**, die Tomaten	tomato
	der	***Joghurt**, die Joghurt(s)*	yoghurt
	der	**Käse**, die Käse	cheese
	das	**Ei**, die Eier	egg
	der	**Kuchen**, die Kuchen	cake
	das	**Lebensmittel**, die Lebensmittel	food
		wünschen, er wünscht, er hat gewünscht	(to) wish, want
	die	**Möhre**, die Möhren	carrot
	das	***Bund**, die Bunde*	bunch
	die	***Erdbeere**, die Erdbeeren*	strawberry
	die	***Salami**, die Salamis*	salami
1.1b	*der*	***Apfel**, die Äpfel*	apple
	die	***Fleischerei**, die Fleischereien*	butcher's shop
	die	**Banane**, die Bananen	banana
	die	**Orange**, die Orangen	orange
	das	**Fleisch**	meat
	die	**Wurst**	sausage
1.2	der	**Fisch**	fish
1.4	das	**Weißbrot**, die Weißbrote	(loaf of) white bread

das	***Sauerkraut***	sauerkraut

Einkaufen

1b	die	**Menge**, die Mengen	amount
	das	**Gramm (g)**	gram
	das	**Pfund**, die Pfunde	pound, half-kilogram
	das	**Kilogramm (Kilo, kg)**	kilogram
	der	**Liter**, die Liter	litre
	das	**Stück**, die Stücke	piece
2	*der*	***Wochenendeinkauf**, die Wochenendeinkäufe*	weekend's shopping
	der	***Einkaufszettel**, die Einkaufszettel*	shopping list
	die	***Wartezeit**, die Wartezeiten*	waiting time
	die	***Lernzeit**, die Lernzeiten*	learning time
	der	**Wagen**, die Wagen	car
3	*der*	***Einkaufsdialog**, die Einkaufsdialoge*	shopping dialogue
		dürfen (Was darf es sein?), er darf, er durfte	(to) be allowed, may (What can I get you?)
		bitte schön	Can I help you?
	der	**Ketchup**, die Ketchups	ketchup
4	*das*	***Wortende**, die Wortenden*	end of (a) word
5a	*die*	***Gurke**, die Gurken*	cucumber
6b	das	**Obst**	fruit
	das	**Gemüse**	vegetable
	die	**Birne**, die Birnen	pear
7	die	**Tüte**, die Tüten	bag
	der	**Cent**, die Cents	cent

3 Über Essen sprechen

3.1a		**gehen (um etw. gehen),** es geht um etw., es ist um etw. gegangen	(to) go (to have to do with sth)
	die	***Currywurst**, die Currywürste*	curry sausage/s
	das	***Lieblingsessen**, die Lieblingsessen*	favourite food, dish
3.1b	das	**Schnitzel**, die Schnitzel	schnitzel, cutlet
	die	**Pommes (frites)** (Pl.)	french fries, chips
	das	**Gericht**, die Gerichte	dish *(meal)*
	das	***Rennen**, die Rennen*	race
	die	**Kantine**, die Kantinen	canteen, cafeteria, lunchroom
	das	***Ergebnis**, die Ergebnisse*	result
		überraschen, er überrascht, er hat überrascht	(to) surprise
	die	**Nudel**, die Nudeln	noodle
	das	***Fleischgericht**, die Fleischgerichte*	meat dish
	die	***Spaghetti** (Pl.)*	spaghetti
	die	***Tomatensoße**, die Tomatensoßen*	tomato sauce
		landen, er landet, er ist gelandet	(to) end up
		***folgen**, er folgt, er ist gefolgt*	(to) follow
		früher	earlier, previously
	die	***Kalorie**, die Kalorien*	calorie
	der	***Kantinenbesucher**, die Kantinenbesucher*	cafeteria user *(m)*
	die	***Kantinenbesucherin**, die Kantinenbesucherinnen*	cafeteria user *(f)*
	der	**Hamburger**, die Hamburger	hamburger
	der	**Salat**, die Salate	salad

das	***Umfrage-Ergebnis**, die Umfrage-Ergebnisse*	survey result
das	***Kantinenessen***	cafeteria food
die	***Hitliste**, die Hitlisten*	hit list
die	***Textzusammenfassung**, die Textzusammenfassungen*	text summary
der	***Döner**, die Döner*	donair
	frisch	fresh
der	***Haushaltstipp**, die Haushaltstipps*	household tip
der	***Eier-Test**, die Eier-Tests*	egg test
die	**Luft**, die Lüfte	air
das	**Glas**, die Gläser	glass
die	***Komparation**, die Komparationen*	comparison, comparative
	diskutieren, er diskutiert, er hat diskutiert	(to) discuss
der	**Reis**	rice
	schmecken, es schmeckt, es hat geschmeckt	(to) taste
	besser (als)	better (than)
die	***Schokoladentorte**, die Schokoladentorten*	chocolate cake
die	**Sahne**	cream
	am besten	the best
das	***Bio-Ei**, die Bio-Eier*	organic egg
	schwach	weak

Was ich gern mag

das	**Menü**, die Menüs	menu

		gar nicht	not at all
	die	***Paprika**, die Paprikas*	pepper *(vegetable)*
	der	**Schinken**, die Schinken	ham
4.3	*der*	***Smalltalk**, die Smalltalks*	smalltalk
	das	**Eis**	ice
	die	***Bratwurst**, die Bratwürste*	bratwurst *(sausage)*
	das	***Schweinefleisch***	pork
	die	***Ananas**, die Ananasse*	pineapple
		drin (sein)	(to be) in
	der	***Apfelkuchen**, die Apfelkuchen*	apple cake
	die	***Rosine**, die Rosinen*	raisin
	der	***Vegetarier**, die Vegetarier*	vegetarian *(m)*
	die	***Vegetarierin**, die Vegetarierinnen*	vegetarian *(f)*

5 Ein Rezept

5.1	*der*	***Nudelauflauf**, die Nudelaufläufe*	noodle casserole
	die	***Zutat**, die Zutaten*	ingredient
	die	**Zwiebel**, die Zwiebeln	onion
	der	***Bergkäse***	alpine cheese
		süß	sweet
	der	**Pfeffer**	pepper *(spice)*
	das	**Salz**	salt
	der	***Würfel**, die Würfel*	cube
	die	**Pfanne**, die Pfannen	pan
		***anbraten**, er brät an, er hat angebraten*	(to) brown
	die	**Form**, die Formen	form
		***dazu geben**, er gibt dazu, er hat dazugegeben*	(to) add

	dazu	to that, in addition
	vegetarisch	vegetarian
	***bestreuen**, er bestreut, er hat bestreut*	(to) sprinkle (over)
der	***Rest**, die Reste*	leftover, remaining part
	***darauf geben**, er gibt darauf, hat darauf gegeben*	(to) add on top
	***verrühren**, er verrührt, er hat verrührt*	(to) mix
der	***Auflauf**, die Aufläufe*	casserole
der	***Backofen**, die Backöfen*	oven
das	**Grad**, die Grade	degree
	backen, er backt / bäckt, er hat gebacken	(to) bake
	Guten Appetit!	Enjoy your meal!
der	***Chefkoch**, die Chefköche*	chief cook, chef *(m)*
die	***Chefköchin**, die Chefköchinnen*	chief cook, chef *(f)*
die	***Hauptmahlzeit**, die Hauptmahlzeiten*	main mealtime
das	**Müsli**, die Müslis	granola
die	**Marmelade**, die Marmeladen	jam, marmalade
	viele	many, a lot of

Übungen

das	***Milchprodukt**, die Milchprodukte*	milk product
die	**Mensa**, die Mensas / Mensen	student cafeteria
der	***Tofu***	tofu
das	***Döner-Lokal**, die Döner-Lokale*	donair restaurant

	die	***Dessertvariation**, die Dessertvariationen*	type of dessert
Ü12	der	**Schweizer**, die Schweizer	Swiss man, Swiss *(m)*
	die	**Schweizerin**, die Schweizerinnen	Swiss woman, Swiss *(f)*
	der	**Österreicher**, die Österreicher	Austrian *(m)*
	die	**Österreicherin**, die Österreicherinnen	Austrian *(f)*
Ü13	*die*	***Vanille***	vanilla
	die	***Kugel**, die Kugeln*	ball
Ü15	*der*	***Camembert***	Camembert cheese
	die	**Aprikose**, die Aprikosen	apricot
	die	**Erdbeermarmelade**, die Erdbeermarmeladen	strawberry jam
Ü16		**empfehlen**, er empfiehlt, er hat empfohlen	(to) recommend
		aufschreiben, er schreibt auf, er hat aufgeschrieben	(to) write down
	die	**Bestellung**, die Bestellungen	order
	das	***Gemüsebett***	bed of vegetables
Ü19		**braten**, er brät, er hat gebraten	(to) fry

Fit für Einheit 11? Testen Sie sich!

das	***Maß**, die Maße*	amount
das	**Gewicht**, die Gewichte	weight

1 Kleidung und Wetter

die	**Kleidung**	clothing
die	**Farbe**, die Farben	colour
die	**Größe**, die Größen	size
die	***Wetterinformation**, die Wetterinformationen*	(piece of) weather information

Modetrends im Frühling und Sommer

	hellblau	light blue
	rosa	pink
	pink	pink
	grün	green
	orange	orange
	grau	grey
	schwarz	black
	braun	brown
die	**Wärme**	warmth, heat
die	**Mode**, die Moden	fashion
der	**Modetrend**, die Modetrends	fashion trend
der	**Trend**, die Trends	trend
die	**Jeans**, die Jeans	(pair of) jeans
	***kombinieren**, er kombiniert, er hat kombiniert*	(to) combine
die	**Jacke**, die Jacken	jacket
das	**T-Shirt**, die T-Shirts	t-shirt
	eng	tight, narrow
	dunkelblau	dark blue

	tragen (Kleidung), er trägt, er hat getragen	(to) wear (clothing)
die	***Kapuzenjacke**, die Kapuzenjacken*	hooded jacket
	bunt	colourful
der	***Schal**, die Schals*	shawl, scarf
der	***Lagen-Look***	layered look
der	**Mut**	courage
der	**Hut**, die Hüte	hat
der	**Stiefel**, die Stiefel	boot
der	**Mantel**, die Mäntel	coat
	beige	beige
die	**Hose**, die Hosen	(pair of) trousers / pant
der	***Kapuzenpullover**, die Kapuzenpullover*	hooded sweater, hoody
die	**Hoffnung**, die Hoffnungen	hope
	hoffen, er hofft, er hat gehofft	(to) hope
der	**Rock**, die Röcke	skirt
die	**Bluse**, die Blusen	blouse
die	***Arbeitswelt**, die Arbeitswelten*	workaday world
der	**Anzug**, die Anzüge	suit
das	**Hemd**, die Hemden	shirt
das	**Kleid**, die Kleider	dress
1.1 die	**Modezeitschrift**, die Modezeitschriften	fashion magazine

2 Kleidung und Farben

2.1a	***passend***	appropriate, matching
das	***Kleidungsstück**, die Kleidungsstücke*	article of clothing

	anziehen, er zieht an, er hat angezogen	(to) put on
der	**Pullover**, die Pullover	pullover, sweater
	überhaupt nicht	not at all
	schick	chic
	altmodisch	old-fashioned
	hässlich	ugly
der	***Trainingsanzug**, die Trainingsanzüge*	training suit, sweat suit
die	***Frauen-Nationalmannschaft**, die Frauen-Nationalmannschaften*	women's national team
der	**Spieler**, die Spieler	player *(m)*
die	**Spielerin**, die Spielerinnen	player *(f)*
	türkis	turquoise
die	***Lieblingsmannschaft**, die Lieblingsmannschaften*	favourite team

Einkaufsbummel

der	***Einkaufsbummel**, die Einkaufsbummel*	shopping spree
	***shoppen (gehen)**, er geht shoppen, er ist shoppen gegangen*	(to go) shopping
die	***Sportabteilung**, die Sportabteilungen*	sporting goods department
	anprobieren, er probiert an, er hat anprobiert	(to) try on
der	***Ärmel**, die Ärmel*	arm *(clothing)*
	Na, ich weiß nicht …	Well, I don't know …
	egal	(it's all) the same to me

		dunkelgrau	dark grey
	das	**Angebot**, die Angebote	(special) offer
3.1b		**verteilen**, er verteilt, er hat verteilt	(to) allot, allocate, distribute
3.2		**stehen (etw. steht mir)**, es steht mir, es hat mir gestanden	(to) suit (sth suits me)
3.3a	*die*	***Umkleidekabine**, die Umkleidekabinen*	changing room
3.3b	*das*	***Rollenspiel**, die Rollenspiele*	role-play
3.4	der	**Sommerurlaub**, die Sommerurlaube	summer vacation
	der	**Winterurlaub**, die Winterurlaube	winter vacation
3.5	*das*	***Demonstrativum**, die Demonstrativa*	demonstrative pronoun

4 Es gibt kein schlechtes Wetter ...

4.1		**normal**	normal
		bewölkt	cloudy
		windig	windy
	die	***Regenzeit**, die Regenzeiten*	rainy season
	die	***Trockenzeit**, die Trockenzeiten*	dry season
		sonnig	sunny
		gleicher, gleiches, gleiche	similar
	die	***Grillparty**, die Grillpartys*	barbecue party
		***schneien**, es schneit, es hat geschneit*	(to) snow
4.2	*das*	***Wetterwort**, die Wetterwörter*	weather word
		neblig	foggy

	die	**Wolke**, die Wolken	cloud
	die	**Kälte**	cold
	der	**Wind**, die Winde	wind
	die	**Hitze**	heat
	der	**Nebel**, die Nebel	fog
3	*das*	***Städtewetter***	weather in various cities
3a		***heiter***	mainly sunny
5	die	**Bedeutung**, die Bedeutungen	meaning
5a		***mitlesen**, er liest mit, er hat mitgelesen*	(to) read along
		als	when
	das	***Malbuch**, die Malbücher*	colouring book
	die	**Rose**, die Rosen	rose
	das	**Pferd**, die Pferde	horse
	der	***Schäfer**, die Schäfer*	shepherd *(m)*
	die	***Schäferin**, die Schäferinnen*	shepherdess *(f)*
	die	***Herde**, die Herden*	flock, herd
	der	**Baum**, die Bäume	tree
	das	**Gras**, die Gräser	grass
	das	***Laub***	foliage
	die	**Frucht**, die Früchte	fruit
		***vertilgen**, er vertilgt, er hat vertilgt*	(to) devour
	der	**Staub**	dust
	der	**Himmel**	sky
	die	**Liebe**	love
		niemals	never
		***vergehen**, es vergeht, es ist vergangen*	(to) pass (away)
		***zurückdenken (an etw.)**, er denkt an etw. zurück, er hat an etw. zurückgedacht*	(to) think back (on sth)

4.5c	*die*	***Assoziation**, die Assoziationen*	association

Ü Übungen

Ü2a	der	**Magazin-Text**, die Magazin-Texte	magazine text
		ob	if
		aktuell	current
Ü3	*der*	***Modeberater**, die Modeberater*	fashion consultant *(m)*
	die	***Modeberaterin**, die Modeberaterinnen*	fashion consultant *(f)*
Ü4		**mitnehmen**, er nimmt mit, er hat mitgenommen	(to) take with
Ü6	*der*	***Turnschuh**, die Turnschuhe*	running / training shoe
Ü7	*das*	***Bildlexikon**, die Bildlexika*	picture dictionary
Ü7b		**violett**	violet
Ü8a		**elegant**	elegant
Ü9	der	**Geschmack**, die Geschmäcker	taste
Ü9a	das	**Sommerkleid**, die Sommerkleider	summer dress
Ü10a		**umziehen**, er zieht um, er ist umgezogen	(to) move
	die	***Kommode**, die Kommoden*	dresser
Ü10c	*die*	***Adjektivendung**, die Adjektivendungen*	adjective ending
Ü11		**tanzen**, er tanzt, er hat getanzt	(to) dance
Ü13		**bequem**	comfortable
Ü14	die	**Fahrradhose**, die Fahrradhosen	(pair of) cycling shorts / tights
Ü15a	*der*	***Dialogteil**, die Dialogteile*	dialogue section
		hoch	high

	die	***(Strick-)Jacke**, die (Strick-)Jacken*	cardigan, knitted jacket
16	der	**Wintermantel**, die Wintermäntel	winter coat
17	*das*	***Kleidungsgeschäft**, die Kleidungsgeschäfte*	clothing store / shop
18		***Ski fahren**, er fährt Ski, er ist Ski gefahren*	(to) ski
	der	***Badeanzug**, die Badeanzüge*	swimsuit
19	das	**Europawetter**	European weather
19a	die	**Temperatur**, die Temperaturen	temperature

12 Körper und Gesundheit

die	**Gesundheit**	health
der	***Körperteil**, die Körperteile*	body part
	wehtun, es tut weh, es hat wehgetan	(to) hurt
die	**Empfehlung**, die Empfehlungen	recommendation
die	***Anweisung**, die Anweisungen*	instruction
die	**Emotion**, die Emotionen	emotion

1 Von Kopf bis Fuß

der	***Volleyball***	volleyball
	***tauchen**, er taucht, er ist getaucht*	(to) dive
die	***Gymnastik***	gymnastics
der	***Volkssport***	popular sport
	erholen (sich), er erholt sich, er hat sich erholt	(to) relax, rest
die	**Runde**, die Runden	round
der	**Stadtpark**, die Stadtparks	city park
das	**Auge**, die Augen	eye
das	**Ohr**, die Ohren	ear
der	***5-km Lauf**, die 5-km-Läufe*	5 km run
das	**Bein**, die Beine	leg
das	**Herz**, die Herzen	heart
die	***Lunge**, die Lungen*	lung
der	**Körper**, die Körper	body
das	***Bodybuilding***	bodybuilding
der	***Sportler**, die Sportler*	athlete *(m)*

die	***Spọrtlerin**, die Sportlerinnen*	athlete *(f)*
	stạrk	strong
der	***Muskel**, die Muskeln*	muscle
der	**Ạrm**, die Arme	arm
die	**Schụlter**, die Schultern	shoulder
der	**Bauch**, die Bäuche	belly, stomach
	***verbrauchen**, er verbraucht, er hat verbraucht*	(to) use
der	***Bọdybuilder**, die Bodybuiler*	bodybuilder *(m)*
die	***Bọdybuilderin**, die Bodybuilde-rinnen*	bodybuilder *(f)*
	vorbei (sein)	(to be) over
der	**Bẹrg-Fan**, die Berg-Fans	mountain enthusiast
das	***Lieblingshobby**, die Lieblings-Hobbys*	favourite hobby
der	**Bẹrgsport**	alpine sport
	ụngefährlich	nonhazardous
der	***Bẹrgsteiger**, die Bergsteiger*	mountain climber *(m)*
die	***Bẹrgsteigerin**, die Bergsteige-rinnen*	mountain climber *(f)*
der	**Fạll (auf keinen Fall)**, die Fälle	case (by no means)
	vergẹssen, er vergisst, er hat vergessen	(to) forget
	hạrt	hard
	heben, er hebt, er hat gehoben	(to) lift
der	**Fịnger**, die Finger	finger
	***strẹcken**, er streckt, er hat gestreckt*	(to) stretch
	lịnker, lịnkes, lịnke	left
	***ạnwinkeln**, er winkelt an, er hat angewinkelt*	(to) wave to
die	**Ruhe**	quiet

	die	***Entspannung***	relaxation
	die	***Konzentration***	concentration
		überall	everywhere
	das	***Tai Chi***	tai chi
	der	***Senior**, die Senioren*	senior *(m)*
	die	***Seniorin**, die Seniorinnen*	senior *(f)*
		speziell	special
1.1	*die*	***Fingerspitze**, die Fingerspitzen*	fingertip
1.1a	die	**Sportart**, die Sportarten	type of sport
1.1c	der	**Meter (m)**, die Meter	metre
	die	**Bewegung**, die Bewegungen	movement
1.2a	die	**Nase**, die Nasen	nose
	das	**Knie**, die Knie	knee
1.2b	der	**Mund**, die Münder	mouth
	der	**Hals**, die Hälse	neck

2 Bei der Hausärztin

	der	***Hausarzt**, die Hausärzte*	family doctor *(m)*
	die	***Hausärztin**, die Hausärztinnen*	family doctor *(f)*
2.1	das	**Fieber**	fever
	die	**Halsschmerzen** (Pl.)	sore throat
2.2	die	**Anmeldung**, die Anmeldungen	registration
	die	**Arztpraxis**, die Arztpraxen	doctor's office, surgery
2.2a	*das*	***Quartal**, die Quartale*	quarter *(year)*
	die	**Versichertenkarte**, die Versichertenkarten	insurance card
	das	***Wartezimmer**, die Wartezimmer*	waiting room

2b	*die* ***Krankenversicherung**, die Krankenversicherungen*	health insurance
	der **Arbeitnehmer**, die Arbeitnehmer	employee *(m)*
	die **Arbeitnehmerin**, die Arbeitnehmerinnen	employee *(f)*
	***versichern (sich)**, er versichert sich, er hat sich versichert*	(to) get insured
	der ***Versicherte**, die Versicherten*	insuree *(m)*
	die ***Versicherte**, die Versicherten*	insuree *(f)*
	die ***Chipkarte**, die Chipkarten*	chip card
	die ***Arztkosten** (Pl.)*	doctor expenses
	das **Medikament**, die Medikamente	medicine
	die **Apotheke**, die Apotheken	pharmacy, chemist's shop
	das **Rezept**, die Rezepte	prescription
	die **Tablette**, die Tabletten	tablet, pill
	die **Kopfschmerzen** (Pl.)	headache
	der **Hustensaft**, die Hustensäfte	cough syrup
3	*das* ***Sprechzimmer**, die Sprechzimmer*	doctor's office, surgery, examination room
	husten, er hustet, er hat gehustet	(to) cough
	die ***Angina***	angina, tonsillitis
	die ***Halsentzündung**, die Halsentzündungen*	throat infection
	erkältet (sein)	have a cold
	***verschreiben**, er verschreibt, er hat verschrieben*	(to) prescribe
	rauchen, er raucht, er hat geraucht	(to) smoke
	die **Zigarette**, die Zigaretten	cigarette

		***krankschreiben (jdn.)**, er schreibt jdn. krank, er hat jdn. krankgeschrieben*	(to) give (sb) a sick note
		natürlich	of course
		Gute Besserung!	Get well soon!
		Doktor (Frau Doktor)	doctor *(f)*
2.4	*die*	***Krankheit**, die Krankheiten*	illness, sickness, ailment
	der	**Schmerz**, die Schmerzen	pain, ache
2.5	*die*	***Rollenkarte**, die Rollenkarten*	role card
		fühlen (sich gut fühlen), er fühlt sich gut, er hat sich gut gefühlt	(to) feel (good)
		ausruhen (sich), er ruht sich aus, er hat sich ausgeruht	(to) relax
	der	**Schnupfen**	sniffles
	der	**Husten**	cough
	die	**Sportsalbe**, die Sportsalben	athletic rub / salve / crea
		***einreiben**, er reibt ein, er hat eingerieben*	(to) rub in
	der	**Alkohol**, die Alkohole	alcohol
	die	**Bauchschmerzen** (Pl.)	stomach-ache
	die	**Magenschmerzen** (Pl.)	stomach-ache
	die	***Krankmeldung**, die Krankmeldungen*	sick note
	der	***Arbeitgeber**, die Arbeitgeber*	employer *(m)*
	die	***Arbeitgeberin**, die Arbeitgeberinnen*	employer *(f)*

Empfehlungen und Anweisungen

1	*die*	***Apothekenzeitung**, die Apothekenzeitungen*	pharmacy newspaper
1a		***durchlesen**, er liest durch, er hat durchgelesen*	(to) read through, scan
	die	***Ernährung***	food, nutrition
		übersetzen, er übersetzt, er hat übersetzt	(to) translate
		***stärken**, er stärkt, er hat gestärkt*	(to) strengthen
	das	***Immunsystem**, die Immunsysteme*	immune system
	die	**Erkältung**, die Erkältungen	cold
		***zunehmen**, er nimmt zu, er hat zugenommen*	(to) gain weight
		duschen, er duscht, er hat geduscht	(to) shower
		abwechselnd	alternating
	die	***Sauna**, die Saunen*	sauna
	der	**Stress**	stress
		tanken, er tankt, er hat getankt	(to) fuel up on
	die	***Laune (gute Laune)**, die Launen*	mood (good mood)
2	*der*	***Ratschlag**, die Ratschläge*	piece of advice, suggestion
	die	**Halstablette**, die Halstabletten	throat lozenge
		dick	thick
3	*der*	***Imperativ**, die Imperative*	imperative
3b		***minus***	minus
3c	*der*	***Aussagesatz**, die Aussagesätze*	statement, declarative sentence
	der	***Imperativsatz**, die Imperativsätze*	imperative sentence

3.4	der	***Raucherstopp**, die Raucherstopps*	quitting smoking
	der	***Rauchstopp**, die Rauchstopps*	quitting smoking
	die	***Raucherkneipe**, die Raucherkneipen*	pub where people smok
	der	**Nichtraucher**, die Nichtraucher	non-smoker *(m)*
	die	**Nichtraucherin**, die Nichtraucherinnen	non-smoker *(f)*

4 Emotionen

4.1		**aus sein** (es ist aus)	(to be) over
4.2		***dichten**, er dichtet, er hat gedichtet*	(to) write a poem / poet
	das	***Akkusativpronomen**, die Akkusativpronomen*	accusative pronoun
	das	**Gedicht**, die Gedichte	poem
4.3	der	***Liebesbrief**, die Liebesbriefe*	love letter
4.3a		**glücklich**	happy, lucky
		klopfen, er klopft, er hat geklopft	(to) knock
	die	***Traumfrau**, die Traumfrauen*	dream woman
4.3b	der	***Antwortbrief**, die Antwortbriefe*	reply letter
	der	***Baukasten**, die Baukästen*	postbox
		freuen (sich auf etw.), er freut sich auf etw., er hat sich auf etw. gefreut	(to) be happy (to look forward to sth)
		wunderschön	gorgeous
	der	***Traummann**, die Traummänner*	dream man

		lachen (über jdn.), er lacht über jdn., er hat über jdn. gelacht	(to) laugh (about sb)
		***in Ruhe lassen**, er lässt in Ruhe, er hat in Ruhe gelassen*	(to) leave (sb) alone
4	*das*	***Emotionsthermometer**, die Emotionsthermometer*	emotions thermometer
4a		***nerven (jdn.)**, er nervt jdn., er hat jdn. genervt*	(to) annoy sb
		langweilen (sich), er langweilt sich, er hat sich gelangweilt	(to) be bored

Übungen

1a	*die*	***Yogafigur**, die Yogafiguren*	yoga position
	die	***Kobra**, die Kobras*	cobra
1c	*der*	***Po**, die Pos*	posterior
2	*der*	***Wörterkörper**, die Wörterkörper*	body made of words
3	*die*	***Wortverbindung**, die Wortverbindungen*	matching words
4	*der*	***Sportmagazin-Text**, die Sportmagazin-Texte*	sports magazine text
	der	***Oberkörper**, die Oberkörper*	upper body
		vorbereiten, er bereitet vor, er hat vorbereitet	(to) prepare
		werden, er wird, er wurde	(to) become
		sicher	certain(ly)
	der	**Erwachsene**, die Erwachsenen	adult, grown-up *(m)*
	die	**Erwachsene**, die Erwachsenen	adult, grown-up *(f)*
5a		**regelmäßig**	regular(ly)
	das	***Bergsteigen***	mountain climbing

	die	***Ballsportart**, die Ballsportarten*	type of ball sport
	der	***Handball***	handball
		blöd	stupid
Ü6		**verrückt**	crazy
	der	**Kommentar**, die Kommentare	commentary
		gefährlich	dangerous
	das	***Skydiving***	skydiving
		spannend	exciting
	das	***Kajakfahren***	kayaking
	das	***Wildwasser***	white water
	das	**Klettern**	climbing
	der	***Hai**, die Haie*	shark
		furchtbar	terrible
Ü7	die	**Zahnarztpraxis**, die Zahnarzt-praxen	dentist's office
Ü7b	die	**Zahnschmerzen** (Pl.)	toothache
Ü8a	die	**Grippe**, die Grippen	flu
	die	**Ohrenschmerzen** (Pl.)	earache
	der	**Kinderarzt**, die Kinderärzte	pediatrician *(m)*
	die	**Kinderärztin**, die Kinderärz-tinnen	pediatrician *(f)*
	der	***Arzthelfer**, die Arzthelfer*	doctor's assistant *(m)*
	die	***Arzthelferin**, die Arzthelferinnen*	doctor's assistant *(f)*
	der	**Augenarzt**, die Augenärzte	eye specialist *(m)*
	die	**Augenärztin**, die Augenärz-tinnen	eye specialist *(f)*
Ü8c	die	**Verbindung**, die Verbindungen	connection
Ü9		**krank**	sick, ill
Ü12	*die*	***Sprechstundenhilfe**, die Sprech-stundenhilfen*	medical assistant / receptionist
	die	***Krankenversichertenkarte**, die Krankenversichertenkarten*	health insurance card

	die	***Apothekenkarte**, die Apothekenkarten*	drug plan card
3a	die	**Oma**, die Omas	grandma
	der	***Kamillentee**, die Kamillentees*	camomile tea
	der	**Honig**, die Honige	honey
	die	***Salzstange**, die Salzstangen*	pretzel stick
3b	*das*	***Fastfood***	fast food
6a		**mindestens**	at least
	die	**Rückengymnastik**	back exercises
7a		**parken**, er parkt, er hat geparkt	(to) park
		springen, er springt, er ist gesprungen	(to) jump
8	das	**Partygespräch**, die Partygespräche	party talk
8a	der	**Typ**, die Typen	dude, guy
		drüben (da drüben)	over there
		blond	blond
		aussehen, er sieht aus, er hat ausgesehen	(to) look ...
		anhaben, er hat an, er hatte an	(to) be wearing
	das	***Arbeitsessen**, die Arbeitsessen*	business meal
9		***lyrisch***	lyrical

Fit für A2? Testen Sie sich!

treiben (Sport treiben), er treibt Sport, er hat Sport getrieben	(to) do (sports)

Station 4

1 Berufsbilder

1.2a	der	**Menü-Plan**, die Menü-Pläne	menu plan
	die	**Großküche**, die Großküchen	big kitchen
		spezialisiert (sein)	(to be) specialized
	das	**Fischgericht**, die Fischgerichte	fish dish
		***kalkulieren**, er kalkuliert, er hat kalkuliert*	(to) calculate
	das	***Pflegeheim**, die Pflegeheime*	care home
	die	***Catering-Firma**, die Catering-Firmen*	catering company
	der	**Lärm**	noise
	die	***Hygienevorschrift**, die Hygienevorschriften*	sanitation regulation
		kreativ	creative
	die	***Mathematik***	mathematics
		dauern, es dauert, es hat gedauert	(to) last
1.4	*der*	***Gesundheitspfleger**, die Gesundheitspfleger*	nurse *(m)*
	die	***Gesundheitspflegerin**, die Gesundheitspflegerinnen*	nurse *(f)*
		pflegen, er pflegt, er hat gepflegt	(to) care for
		***versorgen**, er versorgt, er hat versorgt*	(to) look after
		waschen, er wäscht, er hat gewaschen	(to) wash
	die	**Untersuchung**, die Untersuchungen	examination

die	**Operation**, die Operationen	operation
	medizinisch	medical
das	**Instrument**, die Instrumente	instrument
	ambulant	ambulant
die	**Station**, die Stationen	station
der	***Schichtbetrieb**, die Schichtbetriebe*	shift work
die	***Schicht**, die Schichten*	shift
5a	**messen**, er misst, er hat gemessen	(to) measure
	inklusive	including
die	**Steuer**, die Steuern	tax

Wörter – Spiele – Training

1a	**trocken**	dry
	steigen, er steigt, er ist gestiegen	(to) go up, rise
	dicht	dense, solid
der	***Schneefall**, die Schneefälle*	snowfall
	weiter	further
	unter null	below zero
die	***Höchsttemperatur**, die Höchsttemperaturen*	high *(temperature)*
	meist	mostly
	Nord-Ost	North-east
der	***Mix**, die Mixe*	mix
1b die	**Winterjacke**, die Winterjacken	winter jacket
die	**Winterkleidung**	winter clothing
die	***Mütze**, die Mützen*	hat, cap
der	***Handschuh**, die Handschuhe*	mitten, glove

2.2a	die	**Anzeige**, die Anzeigen	ad
	die	***Bezahlung**, die Bezahlungen*	pay
	die	**Voraussetzung**, die Voraussetzungen	condition
	die	***Anforderung**, die Anforderungen*	requirement
	der	***Pizzafahrer**, die Pizzafahrer*	pizza delivery boy
	die	***Pizzafahrerin**, die Pizzafahrerinnen*	pizza delivery girl
		nachmittags	afternoons
	das	**Trinkgeld**, die Trinkgelder	tip
	die	***Flexibilität***	flexibility
	der	**Führerschein**, die Führerscheine	driver's license
	der	**PKW**, die PKWs	car
	die	**Deutschkenntnisse** (Pl.)	German skills
		bewerben (sich), er bewirbt sich, er hat sich beworben	(to) apply
		telefonisch	by telephone
	das	***Zimmermädchen**, die Zimmermädchen*	maid
	der	***Roomboy**, die Roomboys*	room boy
		brutto	gross
2.2b	das	**Telefongespräch**, die Telefongespräche	telephone conversation
	die	**Stelle**, die Stellen	position
2.2c	das	**Vorstellungsgespräch**, die Vorstellungsgespräche	interview
2.3	die	**Sahnetorte**, die Sahnetorten	cream tort
2.4a	der	**Vogel**, die Vögel	bird
		drücken, er drückt, er hat gedrückt	(to) push

	drucken, er druckt, er hat gedruckt	(to) print
	kühl	cool

Filmstation

der	**Gemüsehändler**, die Gemüsehändler	greengrocer's, greengrocer *(m)*
die	**Gemüsehändlerin**, die Gemüsehändlerinnen	greengrocer's, greengrocer *(f)*
der	***Pfirsich**, die Pfirsiche*	peach

Magazin

	unterschiedlich	different
die	***Vorspeise**, die Vorspeisen*	appetizer
	italienisch	Italian
die	***Hauptspeise**, die Hauptspeisen*	main course

Endspurt: Eine Rallye durch studio [21]

der	***Endspurt**, die Endspurts*	final spurt
die	***Rallye**, die Rallyes*	rally
	führen, er führt, er hat geführt	(to) lead
der	***Band**, die Bände*	volume
die	***Spielregel**, die Spielregeln*	rule of the game
das	***Kästchen**, die Kästchen*	square
der	***Wörter-Joker**, die Wörter-Joker*	word joker
die	**Sekunde**, die Sekunden	second

das	***Toilettenpapier***	toilet paper
der	***Spielpartner**, die Spielpartner*	partner in the game (*m*)
die	***Spielpartnerin**, die Spielpartnerinnen*	partner in the game (*f*)

studio [21]
Glossar Deutsch – Englisch A1
Deutsch als Fremdsprache

Redaktion: Andrea Mackensen, Regin Osman
Übersetzung: Mark Eriksson (Saskatoon, Kanada)

Umschlaggestaltung: Klein & Halm Grafikdesign, Berlin
Gestaltung und technische Umsetzung: zweiband.media, Berlin

Informationen zum Lehrwerksverbund **studio** [21] finden Sie unter
www.cornelsen.de/studio21.

www.cornelsen.de

1. Auflage, 2. Druck 2014

Alle Drucke dieser Auflage sind inhaltlich unverändert und können im Unterricht nebeneinander verwendet werden.

Druck: Offizin Andersen Nexö Leipzig

ISBN: 978-3-06-520559-7

Inhalt gedruckt auf säurefreiem Papier aus nachhaltiger Forstwirtschaft.